7 semanas que can
Acné
Anorexia
Antibióticos naturales
Afrodisiacos naturales
Artritis
Asma
Bulimia
Cocina naturista para niños
Cúrese a través de la sensualidad
Diabetes
Felices sueños
Gastritis y colitis
Herbolaria casera
Herbolaria mexicana
Juguitos para niños
Meditar para rejuvenecer
Migraña
Mundo vegetariano del Dr. Abel Cruz, El
Naturismo en padecimientos comunes
Naturismo para mujeres
Nervios, estrés e insomnio
Poder curativo de la manzana, El
Poder curativo de la miel, El
Poder curativo de la papaya, El
Poder curativo de la soya, El
Poder curativo de las semillas , El
Poder curativo de los cereales, El
Poder curativo de los cítricos, El
Poder curativo de los chiles, El
Poder curativo de los hongos, El
Poder curativo de los jugos, El
Poder curativo de los tés, El
Poder curativo del aguacate, E
Poder curativo del ajo
Poder curativo del gingsen, El
Poder curativo del nopal, El
Preguntas y respuestas sobre el sida
Salud con jugos
Salud con jugos II
Salud con licuados
Salud con sábila
Síndrome premenstrual
Várices, Las

COLECCIONES

Belleza
Negocios
Superación personal
Salud
Familia
Literatura infantil
Literatura juvenil
Ciencia para niños
Con los pelos de punta
Pequeños valientes
¡Que la fuerza te acompañe!
Juegos y acertijos
Manualidades
Cultural
Medicina alternativa
Clásicos para niños
Computación
Didáctica
New age
Esoterismo
Historia para niños
Humorismo
Interés general
Compendios de bolsillo
Cocina
Inspiracional
Ajedrez
Pokémon
B.Traven
Disney pasatiempos

Dr. Abel Cruz

ACNÉ

Doctor Erazo 120
Colonia Doctores
México 06720, D.F.

Tel. 55 88 72 72
Fax 57 61 57 16

ACNÉ

Diseño de portada: Kathya Rodríguez Valle

ISBN: 970-643-446-1

Primera edición: Marzo de 2002

CONTENIDO

Introducción 7

Piel 13
Problemas estéticos y médicos
más comunes de la piel 17

Acné 21
Síntomas 26
Causas y mecanismos de formación
del acné 27
Datos histopatológicos 33
Diagnóstico diferencial 33
Diagnóstico 36
Complicaciones 37
Mitos 37
Prevención y medidas generales
contra el acné 39
Tratamiento 43
Tratamiento homeopático 55

Acné rosácea 57
Síntomas 58
Desarrollo de la rosácea 58
Causas 59
Diagnóstico diferencial 60
Complicaciones 60
Tratamiento 61
Tratamiento homeopático 63

Tratamientos alternativos 65
Dieta 65
Recetario saludable 78
Curas y monodietas 95
Jugoterapia antiacné 101
Terapia nutricional 104
Aromaterapia 108
Remedios florales 112
Fitoterapia 114
Fitoterapia china 122
Trabajo corporal 123
Técnicas de relajación 124
Técnicas respiratorias 126
Hidroterapia 127
Helioterapia 130
Geoterapia 131
Ejercicio 132
Cepillado de la piel 132
Tratamiento de belleza 134

Comentario final 147

Glosario 153

INTRODUCCIÓN

Cuántas veces en el transcurso de nuestras vidas nos acordamos de nuestros tiempos de juventud, y quizás un rasgo que siempre tenemos en mente es el haber padecido el terrible **acné**, con esos abscesos que desgraciadamente nos hacían sufrir, ya fuera el día de una cita o simplemente por tener que salir a la calle. Ahora, quizás en mi caso, al pasar el tiempo le doy la importancia que realmente tiene. En la juventud solamente nos interesa ocultar terribles barritos, mismos que con el tiempo crecen y se transforman —muchas veces hasta ponerse negros—, con lo cual afean el rostro de manera visible y se convierten en un verdadero problema, hacen que la autoestima del más valiente decaiga.

Bueno, hablando ya no en sentido personal, sino de manera general, les comentaré que un alto porcentaje de personas que me consultan a mí y a otros médicos —no necesariamente dermatólogos— son jóvenes afectados por este padecimiento. Como se verá más adelante los aqueja por ser un problema de tipo hormonal, aunque también influye el entorno y otras causas que para la mayoría de los médicos no tiene importancia. Este padecimiento afecta la libre interacción social de los adolescentes y adultos jóvenes. Su mayor estrago es afectar la seguridad y el desarrollo personal. Una cara llena de barros y de color rojizo por supuesto que influye en la seguridad y autoestima de la persona; prueba de ello es que he conocido magníficos estudiantes que por el hecho de padecer acné, no tienen la seguridad de manifestar sus conocimientos, prefieren evitar ser vistos y no se dan cuenta que también están disminuyendo sus posibilidades de desarrollo futuro. Otro factor importante de estos estragos y de otros más graves radica en la escasa información que existe de esta enfermedad. Muchos jóvenes buscan una solución aplicándose una gran cantidad de productos comerciales que, desgraciadamente, lejos de ayudar les producen mayor cicatrización anormal y permanente en la piel, lo cual termina por empeorar el cuadro emocional.

Todo lo antes mencionado —no sólo lo estético— y el hecho de pensar que todas las etapas de la vida son importantes, ya que del buen desarrollo de unas depende el mejor desarrollo de las subsecuentes; fueron las razones principales que me motivaron a escribir un libro sobre el **acné**. Deseo que encuentren en el presente libro una alternativa real y sea lo suficientemente práctico para que solucionen su problema de acné.

Es importante recalcar que estos padecimientos requieren no sólo tratar la parte externa de la cara, sino verlos también de manera interna, debido a que la tendencia a consumir ciertos alimentos o la necesidad de tomar ciertos medicamentos pueden estimular la generación de este padecimiento, ya que como explicaremos más adelante con un simple cambio en la alimentación o el retiro de algún medicamento, es posible desaparecer los síntomas como por obra de magia, pero siempre cuidando de no agravar la enfermedad o convertirla en un estado crónico que se viva como un verdadero martirio en la vida del adolescente o adulto joven.

Porque es un aspecto importante quiero recalcar que los hábitos alimenticios tienen mucho que ver con las complicaciones de la enfermedad (aunque no sean la causa directa) ya que desgraciadamente los alimentos que los jóvenes están acostumbrados a consumir, son alimentos chatarra ricos en sodio y principalmente yodo, tales como hamburguesas, tortas y frituras, los cuales hacen que la piel se torne mucho más sensible y provoque un daño mayor a la piel y a la salud del cuerpo.

Vamos a combatir esta enfermedad con las armas que la naturaleza nos brinda, haciendo posible que nuestra piel se mantenga joven y saludable; así entonces, en este libro encontrarán una guía —paso a paso—. Primero expongo una descripción comprensible acerca de la piel y sus funciones más importantes, la forma más sencilla de mantenerla sana, una orientación completa de los síntomas más frecuentes del acné, sobre todo las principales características, su clasificación, sus causas y sus tratamientos. Es importante también mencionar que incluí muchos términos médicos para que así se familiarice con ellos y los comprenda de manera más sencilla cuando los escuche de su médico. Pues bien, recuerden que del conocimiento surge muchas de las veces la solución a los problemas de salud que nos aquejan, pues cuando ignoramos cómo se presenta tal o cual padecimiento, desgraciadamente cometemos errores que van complicando poco a poco la enfermedad, así que ojalá sea de su agrado el presente libro y fundamentalmente que le ayude a concientizar que en muchas ocasiones los pequeños errores de la vida cotidiana son suficientes para desencadenar no solamente el acné, sino cualquier enfermedad (que como un enemigo al acecho está lista para dispararse y presentarse con sus cuadros más floridos), cuando con los cuidados mínimos necesarios pudieron evitarse.

Y como la belleza física no solamente depende del médico, sino de la persona misma y sobre todo de las medidas higiénico-dietéticas a las que esté acostumbrada, vamos a conservar nuestra belleza utilizando lo que la naturaleza ha puesto a nuestra disposición. Recuerde que una vida saludable siempre nos reportará beneficios que a la larga harán de nuestra vida, un verdadero manantial de salud, así que vamos a cuidar nuestra piel, pues recuerden que éste es el órgano más extenso de nuestro cuerpo y es el que está en contacto con el medio ambiente, y que una piel mal cuidada siempre reportará enfermedades. Además es importante aprender a no agredir a la piel con cosméticos u otras sustancias que sólo la dañan; debemos escoger con cuidado lo que vamos a aplicarnos. Finalmente, recuerde que los seres humanos somos individuales y que lo que propongo en este libro es posible que no ayude a alguien y a otro lo beneficie, así que vamos a comenzar recordándole que lo fundamental para conservar cualquier órgano de nuestro cuerpo, es el conocimiento que de él tengamos, así que sea bienvenido una vez más a la *Biblioteca Naturista del Dr. Abel Cruz.*

Bienvenido al Mundo Naturista del Dr. Abel Cruz.

Toda tú eres hermosa, amiga mía,
y en ti no hay mancha.

Cantares vrs. 7

Con infinito amor a mis hermanos

Dr. Abel Cruz

PIEL

La piel es el órgano de mayor tamaño del cuerpo, ya que cubre y protege su superficie y se une sin fisuras con las membranas mucosas de los distintos canales (como el canal alimenticio). En los diferentes orificios corporales, funciona como una barrera natural que lo protege junto con el sistema inmunitario contra la constante amenaza de microorganismos y agentes infecciosos físicos y químicos sobre tejidos más profundos, los cuales pueden causar una gran variedad de enfermedades. Protege a los órganos internos de lesiones y de sustancias nocivas del medio ambiente contaminado y hostil, regula la temperatura del cuerpo en caso de fiebre, ya que algunas de sus glándulas segregan humedad, que evapora y enfría la superficie corporal lo que contribuye a mantener una tempertura corporal normal. La piel contiene órganos especiales que suelen agruparse para detectar las sensaciones como el sentido del tacto, la temperatura, la presión, el escozor y el dolor.

La piel está formada por tres capas con funciones específicas:

- **Epidermis:** también llamada cutícula, es la capa externa y está construida por células que se renuevan constantemente, por lo cual está cubierta de células muertas, debajo de las cuales existen las células escamosas, en la capa más interna se encuentra una capa basal celular conocida como estrato germinativo que se encarga de producir nuevas células. Las células basales producen nuevas células que empujan a las anteriores hacia el exterior de la piel. Éstas, una vez en la superficie, permanecen un breve periodo para cumplir con la función protectora, hasta que finalmente se desprenden, el proceso que se lleva a cabo durante un mes aproximadamente. Las células contienen los melanocitos que producen melanina, pigmento protector; de acuerdo con la cantidad que se deposita en las células cutáneas (que está determinada por la herencia y por la exposición a la luz solar) determina el color de la piel, lo cual también puede variar por causa de algunos padecimientos como la enfermedad de Addison o porque la sangre transporta sustancias pigmentadas que se depositan en la piel (Ictericia). Por lo general, la epidermis es más gruesa en el hombre, pero su espesor va disminuyendo progresivamente con la edad.

- **Dermis:** se halla debajo de la epidermis, está constituida por una red densa de fibras de elastina y colágeno, capilares sanguíneos, nervios, lóbulos grasos, la base de los folículos pilosos y las glándulas sudoríparas.

- **Tejido subcutáneo:** compuesto principalmente por grasa, protege los órganos internos y proporciona la elasticidad característica de la piel.

En determinadas regiones del cuerpo las capas más externas de la piel se modifican para formar el pelo y las uñas. El espesor de la piel varía segun la zona, así en los párpados posee un espesor de 0.5 mm mientras que en las palmas de las manos y las plantas de los pies es de 4 mm.

Cada 2.5 centímetros cuadrado de piel contienen:

- 30 millones de células.
- 100 glándulas sebáceas.
- 600 glándulas sudoríparas.
- 20 vasos sanguíneos.
- Millares de terminaciones nerviosas.
- Numerosos músculos.

Corte transversal de la piel.

Con la edad la piel se va volviendo más fina, pierde su humedad natural, el número de vasos sanguíneos disminuye, la regeneración de células es cada vez más lenta, la piel pierde poco a poco su lozanía y el proceso de envejecimiento provoca el surgimiento de las arrugas.

Existen diferentes tipos de piel: normal, grasosa, seca y sensible, aunque no hay una piel que pertenezca a una sola categoría debido a que inciden otros factores.

- **Piel normal:** también llamada piel mixta, se caracteriza por tener algunos poros abiertos y, una zona ligeramente grasosa en la llamada zona "T" formada por la frente, nariz y barbilla mientras que la mandíbula inferior y las mejillas son zonas secas.

- **Piel grasosa:** hay zonas que hacen ver el rostro brillante, con poros abiertos que tienden a llenarse de grasa.

- **Piel seca:** en algunas zonas el cutis luce estirado después de limpiarlo. En días de frío presenta escamas.

- **Piel sensible:** existen zonas del tipo de piel seca, con áreas grasosas, enrojecidas, irritadas y vasos capilares fragmentados.

Para identificar su tipo de piel es recomendable realizar lo siguiente:

1. Por la noche lavar la cara y limpiarla, no aplicar crema ni humectante, irse a dormir en seguida.

2. Al día siguiente dirigirse al espejo para examinar la piel del rostro y compararla con las descripciones anteriores.

Conocer los diversos tipos de piel le permite determinar con certeza cuál es su tipo básico de piel a fin de poder mejorarla y mantenerla en condiciones óptimas, ya que en realidad existe un gran desconocimiento al respecto, que puede perjudicar su piel si le aplica productos equivocados, por ejemplo, cuando se emplea un medicamento equivocado para tratar una condición de la piel puede llegar a provocar desde una irritación hasta una dermatitis por contacto. Así entonces, la piel debe mantenerse sana para que pueda cumplir con sus funciones, por supuesto que esto requiere cuidados especiales.

¡Cuidado! A pesar de identificar el tipo de piel, es posible que ésta misma cambie según la estación del año, el clima y el régimen alimenticio que siga en un momento determinado, el frío la reseca, mientras que el calor la quema.

PROBLEMAS ESTÉTICOS Y MÉDICOS MÁS COMUNES EN LA PIEL

A pesar de la eficiencia de la piel como órgano protector, las numerosas enfermedades y trastornos médicos y estéticos que sufren las diferentes capas de la piel u otras partes del sistema de protección, son causados por diversos agentes internos y externos así como factores hereditarios, de constitución o nutricionales, infecciones por microorganismos o agentes contaminantes, que involucran al menos quince condiciones frecuentes que afectan la piel:

- **Acné:** tiene como causa diversos factores como el estrés y los cambios hormonales, el más común es el acné vulgar.

- **Dermatitis:** conocida también como eczema, es causada por una alergia e incluye la dermatitis seborreica, la dermatitis por contacto y la fotodermatitis.

- **Eczemas:** son causadas por una reacción alérgica que incluye algunas formas como la dermatitis.

- **Estrías:** aparecen debido a la pérdida de la elasticidad y espesor de la dermis que provoca el exceso de hormonas corticosteroides.

- **Exceso de grasa en el cutis:** es causado por sobreproducción de las glándulas sebáceas.

- **Infecciones e inflamaciones:** ocasionadas por virus, bacterias y hongos, incluyen las verrugas, ulceraciones, herpes zóster, varicela, forúnculos, celulitis, impétigo, erisipela, pie de atleta y la tiña.

- **Manchas:** surgen por la exposición prolongada a los rayos solares y por el proceso natural de envejecimiento.

- **Piel muerta o escamosa:** causada por la resequedad de la piel expuesta al medio ambiente.

- **Poros grandes:** provocados por un factor hereditario y la obstrucción por residuos grasos.

- **Psoriasis:** se desconoce qué la origina aunque se considera que el factor hereditario es importante para activar su desarrollo.

- **Salpullido:** conocido también como milaria rubra, es causada por una asociación con la obstrucción de los conductos de sudor en la piel, incluye la erupción irritante.

- **Trastornos inmunológicos:** son causados por deficiencias en las funciones del sistema inmunológico, e incluye el lupus eritematoso, vitiligo, dermatomiositis, escleroderma y pemfigoideo.

- **Tumores:** causados por la sobreproducción de células, incluye las formas malignas o benignas como la keratosis seborreica.

- **Urticaria:** provocada por un mecanismo alérgico a alimentos o medicamentos.

- **Vasos capilares fragmentados:** generados por exposición prolongada al sol y por el consumo de ciertos alimentos.

Un aspecto importante es que muchas de las enfermedades anteriores se manifiestan principalmente por la relación que existe entre la piel y la mente, lo cual se ve reflejado con exactitud en el estado de las dos. Así al experimentar sentimientos como la serenidad y la paz interior la piel se torna cálida y la mente está relajada; cuando existe el temor o la vergüenza la piel cambia y sobreviene el sudor o el enrojecimiento y la mente se altera; o bien cuando existe el estrés acumulado, la piel enferma dando por resultado desde el **acné** hasta el eczema, y por su parte la mente se trastorna provocando ansiedad y conflictos emocionales graves; todo se debe a que el sistema inmunológico se trastorna por los grandes niveles de hormonas del estrés en la sangre disminuyendo sus funciones y permitiendo que el cuerpo sea vulnerable a desarrollar estas enfermedades y que se retarde el proceso de autorreparación de las lesiones que estas situaciones le provocan a la piel.

En el caso del **acné** es una enfermedad capaz de causar no sólo estragos a la piel, sino a la misma mente por la propia apariencia, aunada a la burla de quienes no sufren de esta enfermedad y que por falsos mitos hacen imputaciones a la persona como el clásico "son de agua... las ganas", es por ello que en esta ocasión es vital explicar mucho de lo que existe alrededor de esta enfermedad, pero también dar a conocer maneras eficaces de controlar un pequeño brote de acné en cualquier momento y en cualquier persona.

ACNÉ

Acné vulgar, acné polimorfo o acné juvenil, son sinónimos de barros y espinillas. La palabra acné proviene del griego *akmee*, que significa madurez, fluorescencia o punta; aludiendo así al brote elevado característico de esta enfermedad.

El acné no es un problema cosmético, es una dermatosis, es una de las más comunes afecciones de la piel que afecta de manera cosmética, se trata de una lesión o inflamación cutánea que afecta al conducto folicular del pelo y la glándula sebácea asociada; se manifiesta principalmente en las áreas con mayor secreción de sebo en la piel, y se caracteriza por la aparición de numerosos forúnculos con pus, que se abren y luego se secan formando una costra, y en ocasiones dejan una cicatriz.

Se inicia generalmente en la pubertad, y causa sus mayores estragos durante esta etapa, casi todos los adolescentes la padecen en mayor o menor grado, en algunos países llega a afectar a un 80% de los adolescentes o adultos jóvenes entre los 11 y 24 años de edad, en algunos casos es un problema grave e incluso insoportable. Se manifiesta principalmente en la cara y en menor grado en la espalda, pecho y hombros. En los hombres es más común su aparición durante la adolescencia, mientras que para las mujeres, la pubertad empieza a una edad temprana y por ello generalmente parece que el acné les ataca antes (con la menstruación); sólo en casos muy extremos es posible que se produzcan alteraciones en la piel antes de los siete u ocho años. A partir de los 21 años se producen las mejoras graduales, el acné tiende a desaparecer cuando llega la edad adulta, pero sin el tratamiento adecuado el cuadro clínico tiende a empeorar y persistir hasta los 30 o 40 años. Así entonces, de acuerdo con las estadísticas uno de cada 10 adultos entre 25 y 44 años padece de acné y las mujeres de esta edad que lo sufren no lo desarrollaron durante la adolescencia, por esta razón el acné puede presentarse a cualquier edad.

El acné aparece en todas las razas, sin embargo es menos frecuente entre los japoneses y los negros. Afecta la cara, el cuello, la parte superior del tórax, la espalda, los hombros e incluso los glúteos, esto se debe a que las glándulas sebáceas —situadas en el interior del folículo piloso— se encuentran principalmente en estas zonas aunque existen anatómicamente en la mayor parte de la superficie cutánea, se encargan de producir una mezcla de aceites y ceras que tienen como función lubricar la piel, prevenir la pérdida de humedad (agua), mantener el estado saludable de la piel, evitando que se resquebraje y seque por la acción del viento, el sol y los elementos ambientales.

El acné se desarrolla en diferentes formas y en diferentes grados:

- **Acné vulgaris:** afecta los folículos pilosos (donde nace el pelo) y las glándulas sebáceas de la piel, se manifiesta en forma de espinillas conocidas como comedones (puntos negros), pústulas, inflamación conocida como pápulas y nódulos.

- **Acné excoriado de los jóvenes:** aparece como una lesión en la cara que se toca y exprime, deja pequeñas excoriaciones. Es considerado más que acné una psicodermatosis.

- **Acné tropical:** es una forma muy violenta de acné que se atribuye a factores ambientales.

- **Acné fulminante:** es muy raro, casi exclusivo de los hombres con antecedentes de acné juvenil y exacerbación fulminante, las lesiones son grandes, ulceradas y llenas de pus, con costras nodulo-quísticas, se presenta en cara y tronco. El 50% de los enfermos padece mialgias y artralgias con fiebre, anemia, aumento de la sedimentación eritrocítica y leucocitosis. De manera conjunta pueden presentarse lesiones osteolíticas, sinovitis, enfermedad de Crohn, alopecia y eritema nudoso.

- **Acné conglobata:** es un tipo más grave de acné en el que predominan quistes profundos y una posterior cicatrización antiestética, las lesiones afectan la cara y el cuello, y se extienden hasta el tronco en donde se intensifican.

- **Cloracné:** es otra forma de la enfermedad ocasionada por compuestos clorados.

- **Acné por cremas y pomadas:** se trata de un pseudoacné o erupciones acneiformes ya que no son causado por los mismos factores del acné vulgar.

- **Acné rosácea:** afecta los capilares dérmicos de las mejillas, frente y nariz; éstos se dilatan produciendo enrojecimiento y las glándulas se infectan. Normalmente se confunde de manera errónea con el acné, sin embargo, en el siguiente capítulo se especifica esta enfermedad. Y como no es un acné, no se tratará dentro del capítulo de tratamientos alternativos.

No se acepta el llamado acné nodular porque en el acné no hay nódulos, ya que tal como se concibe las lesiones son "quistes".

El acné también puede presentarse de diferentes maneras, dado que la producción de sebo varía a lo largo de la vida, por ejemplo es elevada al nacer debido a la influencia de las hormonas maternas, por tanto aparece durante el periodo neonatal y dura desde semanas hasta meses. Durante la infancia la producción de sebo es reducida, posteriormente en la pubertad vuelve a elevarse por la acción estimulante de los andrógenos, de este modo los preadolescentes presentan espinillas como primeras lesiones, a menudo se encuentran en la mitad de la cara y se extienden hacia fuera al crecer el adolescente, los mismos niveles de andrógenos se mantienen constantes durante toda la vida adulta y progresivamente descienden en la senectud.

Las mujeres de 30 a 40 años de edad, a menudo sin antecedentes de acné, presentan lesiones en la barbilla y alrededor de la boca, lo que se conoce como dermatitis peribucal.

Existen cuatro tipos de acné en los adultos:

1. **Acné de primer grado:** con brotes leves, espinillas o puntos negros.

2. **Acné de segundo grado:** de aparición moderada, piel del rostro grasienta con el área inferior afectada por espinillas, puntos blancos y granos.

3. **Acné de tercer grado:** acné severo con brotes mayores y profundos, afecta el área de la frente, barbilla, mejillas, ocasionalmente la espalda y el centro del pecho. Las cicatrices suelen muy profundas.

4. **Acné de cuarto grado:** acné con quistes, piel grasienta, los brotes son grandes e inflamados, lesiones y cicatrices graves.

Las cicatrices pueden ser causadas por lesiones como las espinillas, los brotes o la inflamación. Existen tres tipos de cicatrices del acné:

1. **Depresiones:** con variación en el tamaño, desde aberturas muy pequeñas (a veces difíciles de distinguir de los poros) hasta profundas y accidentadas.

2. **Hipertróficas:** a manera de abultamientos fibrosos y gruesos que se forman en la superficie de la piel.

3. **Atróficas:** semejantes a parches deprimidos y finos en la piel.

Ninguna de las cicatrices presenta un riesgo para la salud, aunque claramente afectan el aspecto estético y en ocasiones psicológico de la persona.

SÍNTOMAS

Las lesiones características del acné son:

Lesiones no inflamatorias

- **Comedón o espinilla:** resulta del taponamiento de la glándula sebácea. Las espinillas cerradas se manifiestan como crecimientos pequeños de color carne (de 1 a 4 mm), que dan a la piel una vista rugosa, pueden contener un material negro en el interior (comedón abierto) o un centro blanco (comedón cerrado).

Lesiones inflamatorias

- **Seborrea:** el aspecto grasoso de la piel se debe a la excesiva salida de sebo cutáneo.

- **Pústula o forúnculo:** se presenta como complicación de la espinilla.

- **Granos enrojecidos:** causan dolor y se llenan de pus.

- **Poros ectásicos**

Lesiones residuales

- **Cicatrices:** predominan las pequeñas, lineales y deprimidas o puntiformes, hipertróficas que forman puentes queloides.

- **Quistes:** son material queratósico, sebo y detritus que quedan encerrados en la dermis. Pueden resistir por años.

En el desarrollo de la enfermedad las espinillas pueden convertirse en pústulas, pápulas y/o quistes y cicatrices, es decir existen dentro del cuadro clínico algunas lesiones que se inician, otras se complican o están en la parte final de su desarrollo.

CAUSAS Y MECANISMOS DE FORMACIÓN DEL ACNÉ

Para dar origen al desarrollo del acné deben existir alteraciones en los siguientes folículos:

- **Folículos pilosebáceos vellosos:** abundan en el cuerpo, excepto en las plantas de los pies y palmas de las manos, están formados por un folículo con un pelo muy delgado y una glándula sebácea pequeña.

- **Folículos terminales:** abundan en la piel velluda como la barba, bigote, pelo axilar y pubiano, están formados por un pelo grueso que ocupa todo el espacio del folículo y la glándula sebácea es alargada y grande.

- **Folículos seborreicos:** abundan en toda la cara y el tronco, están formados por un pelo delgado, pero el espacio del folículo es más grande y queda un espacio entre el pelo y las paredes del folículo, además la glándula sebácea es más grande y con forma de racimo.

La formación del comedón en sus dos tipos: cerrado o abierto se considera una lesión fundamental en la formación del acné y el origen de todas las demás lesiones. A pesar de que se desconocen las causas del acné, muchos factores afectan la incidencia y gravedad del acné, y van desde la genética hasta el hecho de que se presente en la pubertad, lo que hace suponer que en la aparición influye una combinación de múltiples factores que provocan la enfermedad:

- **Hormonas**
- **Seborrea**
- **Bacterias**

Es decir, durante la pubertad se produce el aumento de la actividad **hormonal** debido a que el sistema endocrino y las glándulas sexuales y suprarrenales aparentemente segregan más hormonas: andrógenos, con cierta predisposición genética al acné (los andrógenos y testosterona son hormonas sexuales masculinas, pero se producen en ambos sexos).

Es así como esta enfermedad es propia de este periodo trastornando el funcionamiento de las glándulas —localizadas debajo de la superficie de la piel— al estimular las células que revisten el canal por donde vierten el sebo cutáneo (canal pilosebáceo) para producir queratina (una sustancia que engruesa y fortalece las células), se acumulan alrededor de las glándulas sebáceas que rodean los vellos faciales produciendo una dificultad en el vaciado de estas glándulas debido a que aumentan su espesor y, por tanto, esta abertura al exterior se vuelve más estrecha promoviendo la acumulación del sebo debajo de la piel. Estas hormonas también estimulan las glándulas sebáceas para que aumenten de tamaño y produzcan más sebo provocando la **seborrea** (lo cual constituye el factor base para desarrollar acné), con lo cual también existe una mayor dificultad en la producción de contenido sebáceo y su eliminación (defecto de las glándulas sebáceas). Cuando las **bacterias** *Propionibacterium acnes* (que siempre hay en la epidermis) se multiplican en exceso y se mezclan con el aceite, el polvo y la suciedad, y se cierra completamente el orificio exterior del folículo, se obstruyen los poros y las bacterias colonizan el sebo acumulado, éste se endurece debajo de la piel formando un tapón junto con los ácidos grasos libres, liberados por la acción de la bacteria y nuevas células de la piel, formando así la **espinilla** (en dos formas distintas al estar expuesta al aire se obscurece y produce los llamados puntos negros o bien cuando no ha sido expuesta al aire se forma un punto blanco), llega un momento en que forma un quiste, lo cual infecta las demás secreciones sebáceas, a medida que aumenta la presión en las capas interiores de la piel, esta instancia es presionado hacia la superficie hasta que provoca una inflamación e infección, desarrollándose así un brote de acné.

Mecanismos de formación de las lesiones.

Las hormonas sexuales femeninas, los estrógenos, aparentemente tienen un efecto contrario y mantienen la piel más seca, sin embargo en las mujeres el acné puede deberse a los cambios hormonales, tal como sucede antes de la menstruación como parte del síndrome premenstrual o bien por el embarazo, y aunque la aparición del acné refleja un incremento de andrógenos, su gravedad y progresión están determinadas por una compleja interacción entre las hormonas, el aumento de la queratina, sebo y células, así como la herencia y las posteriores infecciones bacterianas. Es decir, el ciclo menstrual o el dar a luz, provocan fluctuaciones (descensos precipitados) hormonales periódicamente y normales en el cuerpo de la mujer, lo cual causa una descarga mayor de aceites subcutáneos (hipersecreción) en los poros. Durante la ovulación el cuerpo segrega la hormona progesterona, la cual estimula la producción de sebo en la cara y cuello. Aunque también el uso de anticonceptivos orales, causa lo que se puede considerar como un brote de carácter hormonal, debido a que en su composición química incluye sustancias similares a la progesterona. Al llegar la mujer a la menopausia las glándulas sexuales no producen niveles de andrógenos suficientes para neutralizar la producción de las hormonas restantes. En el caso de acné en los adultos también se debe a las variaciones en los niveles de hormonas, la obstrucción de los folículos pilosos por sebo y su asociación con otros factores.

El acné juvenil polimorfo se debe al excesivo consumo de dehidrotestosterona. El acné grave en los adultos puede ser la manifestación de una alteración endocrina oculta, en el caso de acné resistente en una mujer, debe sospecharse de hiperandrogenismo, éste puede o no acompañarse de hirsutismo, menstruación irregular u otros signos de virilidad.

Otra causa es el exceso de yodo, el cual irrita los poros y produce brotes de acné; un exceso de yodo se encuentra en una comida rápida en donde es posible encontrar un promedio de hasta 30 veces más de la dosis recomendada de 4 500 microgramos por comida; otro exceso de yodo es posible de encontrarlo en la leche, la cual puede contener hasta 466 microgramos de yodo (principalmente por un inadecuado uso del equipo de ordeña contaminado y de los medicamentos administrados a los animales), un ejemplo rico en yodo son los productos del mar como las algas kelp o parda con 1 020 partes de millón; sin embargo los camarones y los crustáceos contienen cantidades moderadas de yodo, aunque la cantidad de yodo suficiente para producir el acné depende de la sensibilidad heredada al yodo que puede ir desde 1000 microgramos o un miligramo o 225 microgramos de yodo. Otras causas que están íntimamente relacionadas con el acné son las deficiencias de zinc y vitamina A.

Las lesiones aisladas que con frecuencia pueden ser provocadas por algún tipo de alergia en la que el antígeno que dispara la reacción es la hormona sexual, tal como sucede con 90% de los jóvenes con acné, por lo cual debe tratarse como alergia y no como infección ni como un desequilibrio resultante de una alimentación desbalanceada (rica en grasas).

Existen otros factores que estimulan los brotes de acné:

- El estrés y los estados de ansiedad son elementos determinantes en la actividad hormonal, es decir el cuerpo produce un exceso de andrógenos suprarrenales ante estos estados nerviosos.
- La exposición a temperaturas extremas tanto de frío como de calor.
- Los desajustes en el funcionamiento de las glándulas endocrinas.
- El uso de cortisona, hormonas masculinas, fármacos, litio, fenitoína, bromuros, yoduros, isoniazida y tiouracilo. Algunos medicamentos para tratar deficiencias endocrinas también pueden causar episodios de acné facial.
- El tipo de piel grasosa.
- Una condición hereditaria tanto de piel grasa, factores hormonales y poros grandes.
- Alimentos como los carbohidratos refinados y grasas hidrogenadas de origen dudoso.
- Contaminantes industriales.
- Cosméticos y pomadas para la piel como las lociones limpiadoras o para afeitarse, humectantes, cremas suavizantes, cremas nutritivas, etcétera.

- Champú, acondicionadores y geles que son irritantes para la piel.
- Exceso de lavado y frotamiento repetitivo.
- Temperatura de la piel.
- Ritmo cardiaco.
- Aceite y grasa natural del cuero cabelludo, que causa el acné común en el cabello y la cara.
- Falta de hierro, principalmente a causa de la mala alimentación.

DATOS HISTOPATOLÓGICOS

Microscópicamente se aprecian folículos dilatados por una masa córnea, rodeada de un infiltrado linfocítico; la rotura del folículo origina el absceso, y alrededor de las lesiones quísticas aparecen células gigantes.

DIAGNÓSTICO DIFERENCIAL

Existen otras enfermedades que causan estragos en la piel a través de pápulas y pústulas en el tercio medio de la cara, tal como sucede en el acné vulgar:

- **Acné del recién nacido:** se presenta en el recién nacido cuando la madre ha pasado por vía placentaria hormonas que estimulan sus glándulas sebáceas, mamaria, útero, etc., presenta pequeñas pápulas y pústulas, salida de leche por los pezones y en algunas niñas hasta menstruación, de forma transitoria al perder el suministro de hormonas de su madre.

- **Dermatosis perioral o rosaceiforme:** ocasionada por la aplicación tópica de corticosteroides fluorinados, se presenta en las mujeres de edad madura, con piel seborreica y que usan cremas con esteroides por largo tiempo, se presenta alrededor de la boca y en el centro de la cara, el fondo es eritematoso con diminutas pápulas y pústulas con talangiectasias, existe atrofia en la piel, evoluciona a través de brotes y es muy rebelde al tratamiento.

- **Elaiconiosis folicular:** se presenta en la cara, parte posterior del tórax, antebrazos, dorso de las manos y muslos por el contacto en el trabajo prolongado con aceites minerales, forma pequeñas pápulas y pústulas que se asemejan a las lesiones del acné, se presenta a cualquier edad.

- **Enfermedad de Favre y Racouchot:** predomina en varones de alrededor de 50 años de edad, se presentan lesiones de elastoidosis nodular pigmentadas con presencia de comedones, quistes y nódulos de 2 a 4 mm.

- **Foliculitis:** también conocida como eritema por calor en el caso de las lesiones en el dorso, suelen producirse solas a causa de foliculitis estafilocócica miliaria, o rara vez foliculitis por Malassezia, foliculitis por estafilococos o eosinofilica en enfermos de VIH.

- **Rosácea:** (mal llamada o confundida Acné rosácea) se manifiesta en personas mayores de 45 años, sobre todo en mujeres cercanas a la menopausia, las lesiones son pápulas, pústulas y rara vez abscesos, no hay comedones, presenta rubor y el rinofima.

- **Sifilides papulosas:** predomina en la espalda, piel cabelluda, frente, surcos nasogenianos, extremidades y palmas, las lesiones son de color rojo opaco, redondeadas o aplanadas, están recubiertas por una capa de escamas.

- **Tuberculides foliculares de la cara:** se presenta principalmente en jóvenes en forma de nódulos diseminados en el área de la cara, en ocasiones llega a la necrosis y simula a primera vista un cuadro de acné.

- **Tumores:** como el carcinoma basocelular, osteoma del cutis, quistes epidérmicos y la hiperplasia sebácea pueden presentar pequeñas lesiones eritematosas parecidas al acné, sin embargo al realizar los estudios correspondientes no existe infección.

- **Uso de antibióticos o la otitis externa:** pueden causar pústulas agravadas, sin embargo a través de un cultivo es posible descartar foliculitis por gramnegativos.

- **Uso de medicamentos tópicos:** ya sea por halógenos, fluorados, esteroides sistémicos, bromuros, yoduros o contacto con naftaleno y bifenilos clorados puede estimularse la aparición de acné y aunque rara vez se producen abscesos, la diferencia es que no existen espinillas.

- **Uso de medicamentos:** como isoniacida, vitamina B12 y anticonceptivos pueden producir lesiones que simulan acné, aparecen a cualquier edad, las lesiones son pápulas querotósicas en la cara y el tronco, no hay comedones porque no se produce una hipertrofia sebácea sino una heperqueratosis folicular.

DIAGNÓSTICO

En caso de lo siguiente acudir inmediatamente a consultar un dermatólogo (especialista en enfermedades de la piel). Recuerde que los productos libres (de venta sin receta) para tratar el acné no dan resultado.

- Si tiene puntos blancos, negros o cicatrices.
- Si existen lesiones grandes y dolorosas.
- Si quedan manchas en donde hubo lesiones o pústulas.
- Si no está seguro de que realmente sea acné, lo que aqueja a su piel.

A pesar de que no existen pruebas o análisis diagnósticos de acné, el dermatólogo examina la piel para ver si existen granos, espinillas o quistes, es posible que investigue desde cuándo existe la enfermedad y cómo se cuida la piel, o bien que ordene una determinación de los niveles de sulfato de dehidroepiandrosterona (S-DHEA) que puede ser útil para descartar alguna causa sistémica.

COMPLICACIONES

Cuando el acné no es tratado a tiempo o de forma adecuada deja como resultado que 95% de los jóvenes con acné presenten marcas o cicatrices (que son depresiones que quedan en la piel donde se produjeron lesiones graves), además de secuelas psíquicas que lesionan la autoestima.

Debido al proceso de hiperactivación de las glándulas sebáceas es posible que se afecte el cuero cabelludo, manifestándose como un cabello excesivamente graso y en algunos casos con caspa.

Puede existir formación de quistes, cicatrices profundas, así como cambios en la pigmentación en el caso de la piel obscura, por lo cual las manchas de color rojo obscuro o marrón que quedan después de la cicatrización de los granos no son cicatrices, sino una hiperpigmentación posinflamatoria que eventualmente desaparece o tarda hasta un año o más en desaparecer.

MITOS

Existen concepciones engañosas sobre el origen del acné, sin embargo es posible llevarse grandes sorpresas al comprobar que mucho de lo que se sabe sobre el acné es más falso que cierto.

- **Ingerir productos ricos en grasas como la mantequilla, leche, chocolate y nueces causan acné:** motivo por el cual algunas personas los evitan considerablemente por los brotes que les surgen, sin embargo científicamente está demostrado que la realidad es que estos alimentos dañan el cuerpo pero en otra forma, principalmente porque aumentan la cantidad de colesterol en la sangre, lo cual no es condición para que surja el acné; así entonces, más que acné por la grasa puede deberse a una alergia, por ejemplo, a la cafeína que contiene el chocolate.

- **La vida sexual activa o esporádica exacerba los brotes de acné:** contrario a lo que parece hasta hoy día esto no tiene fundamento científico alguno, sobre todo porque está comprobado que el estrés y la tensión acumulados son eliminados satisfactoriamente durante la relación sexual, lo cual elimina la posibilidad de desarrollar brotes de acné por estrés. Otra acepción es que debido a la masturbación se provocan brotes de acné, esto es totalmente falso debido a que realizar esta actividad ayuda a conocer las diversas sensaciones de placer al tocar su cuerpo y sentirse más libre de llevar a cabo un acto sexual individual, lo cual elimina también el estrés.

- **El acné es contagioso:** nada más erróneo, sucede que se confunde lo que es consecuencia de un juego de intercambio entre las bacterias normales de la piel que se forman en la glándula sebácea con contagio.

- **El acné es provocado por la suciedad:** esto es erróneo, ya que los puntos negros son el sebo cutáneo que ha estado expuesto al aire, aunque la higiene es un complemento importante en el tratamiento ya que mantiene los poros abiertos y evita que se obstruyan.

- **Los granos deben ser exprimidos:** esto es erróneo, ya que al apretar la piel se lesiona y deja cicatrices profundas.

PREVENCIÓN Y MEDIDAS GENERALES CONTRA EL ACNÉ

Es posible cuidar la piel para prevenir los brotes de acné a través de pequeñas y eficientes medidas:

- La piel necesita limpiarse periódicamente para eliminar todas las impurezas del medio ambiente.
- Las zonas afectadas deben mantenerse siempre limpias mediante el lavado con agua tibia y jabón.
- La limpieza de la piel con acné requiere usar jabón neutro y aplicar un masaje durante 3 a 5 minutos sin frotar.
- La epidermis no debe frotarse con la esponja o toalla porque la misma irritación por el roce desencadena complicaciones importantes.
- La ansiedad y el estrés, en caso de un brote de acné por estos estados emocionales, puede calmarse con medicamento.
- El acné por estrés se combate practicando técnicas de relajación, meditación y respiración profundas para calmar los nervios y el estrés.
- Identififque los alimentos que, en su caso, estimulan los brotes de acné y evítelos durante un mes.

Después vuelva a ingerirlos en pequeñas cantidades, observe el estado de su piel, y en caso de exacerbarse los brotes acuda al médico para que él determine si realmente es una alergia al alimento ingerido.

- Lavar de manera frecuente las áreas con acné ayuda a evitar que se expanda. Es conveniente asear perfectamente las áreas afectadas con abundante agua tibia (nunca fría o demasiado caliente) y jabón neutro, dos veces al día.
- La piel debe secarse con una toalla seca y limpia. Dé pequeños golpes para que absorba la humedad.
- La toalla del tocador cámbiela todos los días ya que las bacterias crecen en la humedad.
- Al finalizar el lavado de la piel de la cara, aplique una loción astringente para terminar de cerrar los poros.
- Lávese las manos antes de tocar el rostro o cualquier parte de la piel afectada por el acné.
- La cara no debe tocarla ni apoyarla sobre las manos cuando esté leyendo, viendo televisión o estudiando.
- El afeitado debe ser muy cuidadoso, para evitar roce excesivo en los brotes.
- En ningún caso aplique crema sobre la piel sucia.
- Retire el maquillaje antes de dormir.
- Evitar que el cabello caiga sobre la frente y las mejillas.
- En el caso de usar tratamientos en el cabello, éstos deben contener glicerina y no aceite.
- El maquillaje y los cosméticos grasos, así como las cremas hidratantes y fotoprotectores empeoran

la aparición de espinillas, en caso de ser necesario su uso elija los productos "no comodegénicos" o bien busque en las etiquetas "*oil free*".

- Evite los cosméticos que contengan lanolina, colorantes laureth-4 y rojos C y D, miristato de isopropilo y laurisulfato de sodio, ya que pueden ser muy grasosos para la piel.
- Los limpiadores a partir de aceites y los bloqueadores solares grasos no los use.
- Lave el cabello diariamente para evitar que la acumulación de grasa y polvo en él termine contaminando la piel con acné.
- Retire el cabello de la cara a la hora de dormir.
- Tan pronto como pueda báñese después de haber practicado ejercicio físico para eliminar los residuos de sudor y las secreciones de las glándulas sebáceas.
- Tres veces por semana aplíquese compresas calientes y húmedas durante 15 minutos para ayudar a dilatar los poros, eliminar las toxinas, mejorar la hidratación de la piel y facilitar la limpieza por la eliminación de sebo.
- No exprima las espinillas y granos así evitará la propagación de la infección a otras áreas de la piel, de lo contrario se agrava el acné y pueden producirse infecciones adjuntas que retrasan el proceso de curación dejando terribles cicatrices. En cambio si se deja evolucionar libremente, el absceso se cura en el término de una semana.
- Aplicar una crema de peróxido de benzoílo una vez al día después de lavar la cara, principalmente por la noche para evitar quemaduras en la piel por la exposición al sol.

- No trabaje en lugares muy calientes o en lugares en donde estén cocinando comidas grasosas si es posible.
- El contacto con aceites, manteca de cacao y grasa es mejor que lo evite.
- Tratar de no quemarse y exponerse excesivamente al sol, tome en cuento que los especialistas aún no están de acuerdo si conviene o no al tratamiento del acné.
- No use bandas elásticas en la cabeza o en el cuello ya que impiden la oxigenación correcta de la piel.
- Los productos con leyenda para el "control de la grasa" aseguran regular la producción de aceites en las glándulas sebáceas, pero en realidad lo único que estos productos logran es eliminar parte del aceite ya producido por el cuerpo para evitar la apariencia grasosa del rostro.
- El equilibrio entre la humedad del cuerpo y la temperatura ambiental favorece la salud de la piel y previene los brotes de acné.
- No remueva el aceite acumulado en la piel con un limpiador fuerte ni aplique después un humectante, así previene un ambiente propicio para el acné.
- El uso de un exfoliador granular dos o tres veces por semana ayuda a limpiar la piel grasa.
- Un tonificador bactericida que no contenga alcohol neutralizará las bacterias de la piel grasa.
- Al lavar la piel en exceso se termina por privarla de los aceites naturales necesarios para su protección y mantenimiento.

TRATAMIENTO

Nunca se deben esperar milagros en el tratamiento del acné, aunque sí tiene solución. Para ello es necesario tratarlo de forma seria, adecuada y profesional, por lo cual es necesario acudir con un dermatólogo, quien informará e indicará el tratamiento más adecuado a seguir, porque cada caso es distinto. Un tratamiento que ha sido efectivo para una persona puede resultar ineficaz o incluso perjudicial para otra. Acudir lo más pronto posible en caso de presentar cualquiera de los siguientes síntomas:

- Los brotes de acné no han sido controlados por medio de las medidas de prevención.
- Los brotes son severos y enrojecen la piel, o aparecen zonas de color violáceo, inflamaciones, quistes y nódulos debajo de la epidermis.

NOTA: Ante lo anterior no es posible considerar la autoayuda, ya que la piel puede afectarse más que beneficiarse empeorando la situación.

Cuando las lesiones aparecen en forma desproporcionada a la gravedad de la enfermedad, se debe sospechar de manipulación por parte del enfermo, de ser así es necesario educar a través de algunas explicaciones sobre el tratamiento de la enfermedad:

- Las lesiones requieren al menos de cuatro a seis semanas para observar mejoría.
- Las lesiones antiguas pueden tomar meses antes de desaparecer totalmente.

- La mejoría es posible juzgarla después de seis a ocho semanas de iniciado el tratamiento.
- El dorso y el pecho son zonas de lenta respuesta en el tratamiento del acné.

En algunos casos el acné llega a desaparecer por sí mismo, sin dejar cicatrices, de la misma manera en que se desarrolló.

La mayoría de los tratamientos limitan su acción a eliminar las lesiones y prevenir las complicaciones, pero no tienen como fin la desaparición definitiva de la enfermedad, por lo cual deben mantenerse durante un largo tiempo. El tratamiento debe guiarse por la gravedad de la enfermedad, el cumplimiento terapéutico por parte del enfermo, el costo del mismo, las condiciones de la piel (grasosa o seca) y la susceptibilidad a los irritantes.

Es posible que se necesite un tratamiento tanto terapéutico como psicológico, lo cual puede ser largo y con un compromiso de cumplimiento obligatorio, a fin de obtener los mejores resultados posibles. Aunque en general existen dos tipos de tratamiento:

- **Tratamiento tópico:** permite eliminar la obstrucción de los poros, remover el sebo acumulado y la estimulación de la cicatrización de las lesiones. Generalmente el acné leve tiene éxito con este tipo de tratamiento. Los efectos secundarios del tratamiento tópico son la aparición de irritación causada por escamas y enrojecimiento por el uso de lociones y cremas.

- **Tratamiento interno:** esencialmente contiene tres grupos de terapias orales entre las que se encuentran los antibióticos, regímenes hormonales y retinoides. Estos tratamientos sólo es posible conseguirlos bajo prescripción médica, con excepción de los retinoides, deben ir asociados a un tratamiento tópico.

Es posible que en el caso de acné comedonal el médico sugiera conjuntamente el uso de:

- **Jabones:** tienen poca función en el tratamiento del acné, a menos que la piel sea extremadamente grasa, por lo cual es necesario usar un jabón ligero que evite la irritación.

- **Lociones:** calamina, sulfato de zinc o resorcinol ya que ayudan a secar y a desprender la capa externa de la piel.

- **Loción desengrasante:** a partir de licor de Hoffman o acetona con alcohol, a las que puede agregársele resorcina, azufre o ácido salicílico para transformarla en una loción antibiótico.

- **Tretinoína:** (ácido retinoico Retin-A) actúa previniendo nuevos brotes, pero no sobre los ya existentes, además de que su utilidad es limitada principalmente por la irritación, iniciar con crema a 0.025% y utilizar en áreas de prueba. Aplicar dos veces por semana durante la noche, a los 20 minutos de haber lavado. En caso de irritación y enrojecimiento debe evitarse para prevenir la irritación.

- **Peróxido de benzoílo:** en concentraciones de 2.5, 4.5 y 10% dependiendo del grado de irritación que se produzca al contacto con la piel, utilizar en forma de gel a base de agua y no de alcohol para evitar la irritación. Como efecto: seca la piel, es bactericida y querolítico, puede causar en algunas ocasiones irritación, por lo cual es necesario aplicar conjuntamente una crema hidratante. El ácido salicílico es menos irritante que el peróxido y es más efectivo para tratar el acné.

- **Antibióticos:** principalmente para disminuir las lesiones comedonales, reducir la cantidad de bacterias y minimizar la inflamación. Se deben tomar durante al menos seis meses y es recomendable que después de un tiempo de consumir antibióticos se suspendan para comprobar si aún se necesitan. Los efectos secundarios son una erupción grave, comezón, dolor abdominal, náuseas y algunas veces diarrea, teniendo que suspenderse el tratamiento.

- **Extracción de comedones:** pueden eliminarse con un extractor de comedones, pero pueden reincidir si no se previenen con tretinoína o peróxido de benzoílo.

- **Limpiadores:** con base de peróxido de benzoílo que neutraliza los gérmenes que se esconden en las materias que taponan los poros, por lo que evita las espinillas. Ácido salicílico que limpia la piel del cutis, facilita la eliminación de las células envejecidas y muertas (exfoliación), revitaliza la piel aunque no se considera tan efectiva la limpieza como con el peróxido. Ácido glicólico que actúa eliminando las células muertas y disuelve la materia que fija estas células a la superficie de la piel.

Las lesiones profundas y el acné en espalda o tórax pueden tratarse con agentes sistémicos como los antibióticos y hormonas. El proceso de eliminación de las espinillas puede tomar hasta ocho semanas, entre lo cual puede observarse un empeoramiento antes de que la piel comience a mejorar.

Es posible que el médico indique en el caso de acné papular inflamatorio:

- **Antibióticos:** de aplicación tópica o por vía oral como la tetraciclina y la eritromicina. Se utiliza la minociclina cuando el acné no responde o es resistente pero su costo es elevado, o bien la doxiciclina que es más económica, pocas veces se intenta con otros antibióticos como el trimetropim-sulfame taxol y la clindamicina. Es recomendable evitar los cambios o la rotación de antibióticos tópicos para disminuir la resistencia de la *P. acnes*. Los enfermos tratados con antibióticos pueden mejorar durante los primeros tres a seis meses de tratamiento.

- **Acné ligero:** una combinación de eritromicina con gel tópico de peróxido de benzoílo. Si este producto no se tolera puede usarse gel o solución de clindamicina o acetato de zinc. Debe tomarse en cuenta el riesgo de dermatitis por contacto o fotosensibilización.

- **Acné moderado:** tetraciclina/oxitetraciclina, eritromicina, doxiciclina, trimertroprim, sulfametoxazol y la minociclina dos veces al día. Cuando la piel es muy blanca es necesario reducir la dosis. Disminuir poco a poco el tratamiento hasta llegar a cero. Sus efectos secundarios incluyen la disminución en la absorción de los anticonceptivos orales, la fotosensibilización, mareo e hiperpigmentación de color azul grisáceo en las zonas con acné.

En algunas ocasiones el tratamiento local es suficiente en el caso de acné discretamente inflamatorio, sin embargo en las formas más severas es necesario el tratamiento hasta por tres meses en asociación con un tratamiento tópico.

Es posible que cuando el tratamiento fracasa, o en el caso del acné grave, o conglobata, el médico indique:

- **Isotretinoína:** es un análogo de la vitamina A, se administra por vía oral, aunque éste no debe prescribirse a mujeres en edad reproductiva o bien anexar medidas contraceptivas más eficaces durante un mes antes, durante y después del tratamiento. Es necesario llevar un control regular de la b-HCG con fecha menor de tres días al inicio del tratamiento, cada dos meses durante el tratamiento y cinco semanas después de finalizado el tratamiento; en caso de embarazo existe el riesgo de malformaciones en el producto. Los efectos secundarios dependen de la dosis y están relacionados con la piel y mucosas secas, quelitis descamativa, xerosis de narinas, epistaxis, así como conjuntivitis, intolerancia a los lentes de contacto, cefalalgia, depresión, caída del cabello, mialgia, es posible que se presente cefalea a causa de pseudotumor cerebral, en dosis mayores se desarrolla hipertrigliceridemia, hipercolesterolemia y disminución de lipoproteínas de alta densidad, elevación ligera de los valores de aminotransferasa, glucemia elevada en ayunas, disminución de la visión nocturna, síntomas musculoesqueléticos o del colon, erupción, infección por S. aureus y eccema. Después de tres años del tratamiento con isotretinoína es posible una reincidencia de la enfermedad hasta en un 60% y en un 20% en caso de un segundo tratamiento. Evitar la luz solar y durante el embarazo, no administrar isotretinoína a la vez que los antibióticos orales, pues aumenta el riesgo de desarrollar pseudotumor cerebral, otro efecto a largo plazo es la hiperóstosis vertebral.

Por lo anterior, deben realizarse pruebas de laboratorio antes y después del tratamiento cada dos a cuatro semanas, incluyendo colesterol, triglicéridos y prueba de función hepática. Después del tratamiento es posible que los brotes dejen de aparecer después de cuatro a seis semanas, y que deba seguirse tomando el medicamento por varios meses, aunque en casos severos es por varios años.

En ocasiones el acné no responde o reincide con un tratamiento, aunque puede desaparecer al emplear un segundo tratamiento. Después de tratar el acné con un medicamento no debe cambiarse el tratamiento simplemente esperando que los nuevos medicamentos sean más efectivos. Existen otras opciones del tratamiento que incluyen lo siguiente:

- **Ácido azelaico:** antibacterial en ungüento que elimina las manchas marrón de la piel y la pigmentación que surge por el embarazo o uso de anticonceptivos (paño); controla el acné.

- **Bióxido de carbono:** enfría la piel, ayudar a pelar ligeramente, elevar la temperatura y el flujo de la sangre de la cara, ayuda a eliminar o suavizar las cicatrices.

- **Cirugía:** es un procedimiento que sólo se refiere a la abertura y extracción de la espinilla o tapón de queratina, con ayuda de un escalpelo en el mismo consultorio del médico.

- **Dapsona:** pertenece al grupo de las sulfamidas, se utiliza comúnmente para tratar la lepra, sin embargo bajo prescripción médica ayuda en el tratamiento del acné quístico.

- **Dermabrasión:** es un procedimiento que consiste en eliminar la capa superior de la piel afectada (epidermis), con el fin de eliminar las cicatrices levantadas. Se realiza con un cepillo de cerdas de alambre o una piedra de polvo de diamante unida a un activador a manera de pulidora, esta técnica logra la uniformidad de color y tono por la eliminación e injertos de pellizco en las cicatrices profundas y por abrasión de las lesiones inactivas de acné. Después de la abrasión la piel queda viva hasta que se forman las postillas, el proceso de cicatrización no es visible pero continúa aproximadamente durante un año. A través de este tratamiento es posible eliminar la mayor parte de las cicatrices superficiales y hasta en un 50% y 80% las cicatrices profundas. Los efectos involucran hiperpigmentación, hipopigmentación, formación de surcos y cicatrices. No es conveniente aplicar esta técnica dentro de un año y medio después de un tratamiento con isotretinoína, y en quienes son alérgicos a la anestesia y los metales, o quienes sufren hemofilia o tienen piel obscura. Actualmente no se emplea tanto como antes, sólo en casos muy necesarios; es esencial evitar la exposición a los rayos solares durante el tratamiento. Se recomienda en caso de cicatrices graves.

- **Excisión:** se trata de la eliminación quirúrgica de la cicatriz que deja el acné. Después de cinco días los puntos son retirados, sus riesgos son mínimos.

- **Hielo seco y acetona:** inflama moderadamente la piel de manera que pueda deshacerse más eficientemente de las células, provoca un olor muy peculiar en la piel.

- **Hormonas:** son usadas para limitar la actividad de las glándulas sebáceas en el área de la cara. En algunos casos de acné son útiles el acetato de ciproterona y prednistona para suprimir el andrógeno suprarrenal, los antagonistas de los andrógenos (vigilar el nivel de potasio) y anticonceptivos orales para que los estrógenos actúen sobre los andrógenos suprarrenales. Los tratamientos se aplican durante 18 meses y deben combinarse con cremas tópicas, aunque generalmente se complementa con antibióticos para controlar la infección por bacterias. La espironolactona se usa también como antiandrógeno tópico. Se deben evitar los preparados con progesterona, además están contraindicados en los hombres. Los efectos secundarios son similares a los de los anticonceptivos normales.

- **Inyección intralesional:** especialmente de suspensiones diluidas de acetónido de triamcinolona aplicada directamente al área de las lesiones, que en ocasiones mejoran, las pápulas profundas y los quistes y evita la posibilidad de dejar cicatrices.
- **Inyecciones de silicona y espuma de fibrina:** es un medicamento en experimentación que ayuda a eliminar las cicatrices.

- **Óxido de aluminio:** se usa como un tratamiento abrasivo para tratar las cicatrices superficiales.

- **Niacina:** aumenta la circulación sanguínea en la cara, a fin de eliminar la infección.

- **Nutrientes:** debido a las deficiencias de nutrientes por los malos hábitos alimenticios (productos refinados, procesados e industrializados) se eliminan casi por completo el zinc y el hierro, cuyas deficiencias traen como consecuencia graves problemas en la salud, entre ellos el acné, es por ello que para tratar el acné principalmente se prescribe vitamina A y zinc. Este último se encarga de liberar en la sangre la vitamina A almacenada en el hígado, por consiguiente tanto uno como otro nutriente deben participar en el tratamiento. El exceso de vitamina A produce severas consecuencias por lo cual lo mejor es tomarla en forma de betacaroteno a través de frutas y verduras de color rojo, naranja o amarillo, que después de comerlas son transformadas en el hígado en vitamina A. En el caso del hierro, éste debe utilizarse como refuerzo en el tratamiento contra el acné, pero debe ser administrado conjuntamente con vitamina C, porque facilita la absorción de hierro en el intestino y su posterior consumo.

- **Rayos Grenz:** son rayos comprendidos entre la onda ultravioleta y los rayos X, se usan para provocar un enrojecimiento leve que da lugar a una elevación de la temperatura de la piel a fin de combatir el acné.

- **Rayos ultravioleta:** enrojece y aumenta la temperatura de la piel, lo cual ayuda a licuar el sebo y a obligar a las glándulas a drenar y funcionar adecuadamente. No se recomienda este tratamiento en caso de piel muy blanca. Se dice que es el tratamiento más eficaz para el acné severo o rebelde; es posible aprovechar estos beneficios con exposición a una lámpara de rayos ultravioleta o al sol, con las debidas precauciones, ya que muchos tratamientos para el acné contraindican la exposición solar intensa.

- **Rayos X:** por sus daños irreversibles a la piel —cáncer—, han dejado de ser utilizados.

- **Renova:** provoca resequedad en la piel tratada y descamación.

Cuando el acné es crónico, la enfermedad tiende a agravarse a pesar del tratamiento. Todos los tratamientos son generalmente más efectivos cuando se aplican en la piel de la cara y no en el cuello, la espalda u otras zonas con acné.

Algunas personas con sobrepeso generalmente mejoran su padecimiento del acné cuando bajan de peso, por lo cual es necesario verificar que el peso corporal corresponda a la talla, altura y actividad realizadas.

NOTA: Las dosis dependen de la gravedad y la actividad del enfermo. Cuando se emplea un medicamento en exceso para tratar el acné puede llegar a provocarse una dermatitis por contacto o una irritación.

Al llevar a cabo un tratamiento asesorado por el dermatólogo es posible erradicar el acné, sin embargo el principal problema del tratamiento es la falta de constancia en la aplicación de los medicamentos, ya que cuando el paciente observa una mejoría superficial en los brotes falsamente cree que está curado, sin tomar en cuenta que existen obstrucciones en las glándulas sebáceas que en cualquier momento serán detonantes para manifestar nuevamente el acné.

TRATAMIENTO HOMEOPÁTICO

Como normalmente el acné representa un obstáculo en la vida social, el tratamiento incluye un medicamento que actúa sobre la esfera emocional, además de medicamentos sintomáticos y de terreno.

- **Medicamentos sintomáticos:** Sulfur iodatum y Kalium bromatum. En caso de infección Hepar sulfur y Árnica, Kali bichromicum para combatir el acné crónico.

- **Medicamentos de terreno:** Sulfur, Thuya occidentalis, Natrum muriaticum, Silicea, Tuberculinum residuum y Tuberculinum. El Sulfur sana las pústulas inflamadas o infectadas que empeoran como consecuencia del lavado, y Psorinum para tratar las infecciones acompañadas de comezón.

ACNÉ ROSÁCEA

Es una condición de la piel más conocida como rosácea, la palabra rosácea proviene directamente del latín *rosacea*, femenino de rosaceus (rosáceo, de color parecido al de la rosa). Con frecuencia es confundida con el acné y por tanto erróneamente tratada con medicamentos de venta libre que no son para nada efectivos para su control; en la actualidad se suele prescindir del término acné, ya que no se trata de un proceso relcionado con la retención e inflamación de la glándula sebácea.

Es una dermatitis crónica de la región facial que sufre una de cada 500 personas, es más frecuente en las mujeres jóvenes y/o adultas, afecta a cualquier persona entre los 20 y 50 años de edad. En niños y adolescentes es una enfermedad rara y casi siempre de origen yantrogénico; por lo general se manifiesta en personas con piel muy blanca y ojos claros, en especial en las de origen celta, aunque es posible encontrarla en todo tipo de piel. Afecta principalmente la cara por lo cual el rostro aparece siempre enrojecido.

Muchos casos de rosácea se inician o se agravan durante la primavera. Es una enfermedad crónica y sus síntomas se vuelven más intensos con el tiempo.

SÍNTOMAS

- Coloración rojiza semejante al rubor.
- Pápulas inflamatorias y algunas pústulas.
- Abultamiento y enrojecimiento de la nariz.
- Líneas rojas en la piel (inestabilidad vascular).
- Seborrea concomitante.
- Sensación de quemazón o escozor durante el periodo de rubor.
- Enfermedad oftálmica que incluye blefaritis y queratitis.

Los brotes son recurrentes durante un periodo de cinco a 10 años y después llega a desaparecer del mismo modo en que surgió, aunque muchas de las veces suele volver a manifestarse.

Existe cierta incidencia significativa de migraña que acompaña a la rosácea. Y está presente un componente acneiforme a través de pápulas, pústulas y piel grasa.

DESARROLLO DE LA ROSÁCEA

- El primer síntoma es el enrojecimiento persistente del rostro, especialmente en el área de las mejillas y la nariz. Este enrojecimiento es producto de la dilatación de los vasos sanguíneos debajo de la piel, lo cual suele confundirse con las quemaduras por sobreexposición a los rayos del sol o el rubor.
- Gradualmente la coloración rojiza es cada vez más permanente, hasta ser un síntoma evidente de la verdadera enfermedad.

- El rostro se reseca.
- A medida que avanza la enfermedad, los brotes se hacen presentes en el rostro, al principio son pequeños y de tonalidad rojiza y abultamiento sólido (pápulas) que se asemejan a los brotes del acné, sin embargo no existe relación por la ausencia de espinillas o comedones.
- Los vasos sanguíneos del rostro se expanden hasta el punto de ser visibles y aparecen las líneas rojas conocidas como telangiectasias.
- La nariz, especialmente en el caso de los hombres, desarrolla abultamiento y a medida que avanza la enfermedad ésta parece más inflamada, esta condición es conocida como rinofima. Lo cual es erróneamente considerado como un excesivo consumo de bebidas alcohólicas.

CAUSAS

Los factores que originan la rosácea son desconocidos, aunque existen varias hipótesis que tratan de explicar cómo se originan los brotes.

- Bacterias, hongos o ácaros.
- Factores psicológicos.
- Empleo de cremas corticosteroides para tratar otras enfermedades cutáneas.
- Mal funcionamiento del tejido conjuntivo.

No obstante, ninguno de los factores anteriores ha sido comprobado, por lo cual los especialistas consideran que la rosácea es de origen multifactorial, considerando que se manifiesta en aquellas personas susceptibles a la enfermedad debido a elementos como la herencia, el color y la estructura de la piel. Respecto a los factores genéticos que determinan el fototipo son los individuos con fototipo I y II quienes tienen mayor propensión a padecer rosácea.

DIAGNÓSTICO DIFERENCIAL

Debido a la dermatitis en la cara es posible confundir la dermatitis peribucal y rosácea esteroidea con la rosácea. También puede distinguirse del acné de la edad por la ausencia de comedones y la presencia del componente vascular.

COMPLICACIONES

Cuando la rosácea no recibe tratamiento la enfermedad avanza y llega a complicar la situación presentando periodos en los que los síntomas son unas veces más severos que otras.

- Los ojos —las membranas mucosas y los párpados— son afectados en la medida en que la rosácea avanza.

Es posible que empeore la rosácea debido a aciertos factores como:

- Exponerse a temperaturas extremas ya sea frío o calor.
- Exponerse directamente a los rayos solares.
- Ingerir bebidas alcohólicas.

- Ingerir alimentos demasiado condimentados y calientes.
- Las situaciones de estrés o el estrés crónico.

Muchos de los enfermos de rosácea sufren de un cierto grado de estrés importante, así como anomalías de la personalidad o patologías psiquiátricas más graves, en forma de neurosis y psicosis. Los síndromes ansioso-depresivos y depresivos son los más comunes, lo cual obviamente agrava la rosácea.

TRATAMIENTO

Muchas veces los síntomas de la enfermedad no son identificados en sus primeras etapas por lo cual es necesario acudir lo más pronto posible a un dermatólogo para recibir la valoración adecuada. Una vez que se administre el tratamiento es posible controlar el desarrollo de la enfermedad e inclusive evitar la formación de la telangiectasia. El tratamiento varía de acuerdo con la evaluación de la condición, los síntomas y las preferencias del enfermo.

Lamentablemente la rosácea no puede curarse con los tratamientos, sin embargo sí puede ser controlada y mejorar considerablemente el aspecto de la piel. Existen diversos tratamientos a seguir que permiten aminorar los síntomas, algunos de estos tratamientos incluso logran detener la enfermedad.

Los tratamientos están enfocados sólo a las pápulas, pústulas y el eritema que las rodea. El tratamiento puede ser local y sistémico.

- **Agentes antibacteriales externos:** la dosis es aplicada 2 veces al día en las áreas afectadas, inmediatamente después de lavar y secar la piel.

- **Agentes antibacteriales orales:** la dosis es una o dos veces al día.

- **Esteroides de aplicación tópica:** las dosis se suministran por periodos breves, a fin de controlar el enrojecimiento de la piel.

- **Jabones y limpiadores:** elegir uno de tipo suave y no excederse en frotación y lavado de la piel a fin de evitar una mayor irritación.

- **Humectantes:** se aplican de acuerdo con la propia necesidad y se utilizan una vez que el medicamento tópico prescrito haya secado.

- **Cremas y lociones:** con un factor SPF 15 o mayor, en el caso de ser necesaria la exposición al sol.

- **Cirugía:** se reserva para los casos en los que la nariz es afectada gravemente por el rinofima; en el caso de la telangiectasia el único tratamiento efectivo es el láser de luz amarilla como el láser de vapor de cobre o de pulso de colorante. Puede hacerse uso en este caso de la aguja eléctrica o del rayo láser a fin de eliminar los vasos capilares dilatados.

La acción de los medicamentos en el tratamiento de la rosácea es lenta, es posible que transcurra un periodo de varias semanas para comenzar a apreciar algunos resultados benéficos del tratamiento.

Es importante descartar —durante el tratamiento— el uso de cualquier medicamento de venta libre, a fin de evitar posibles complicaciones o mayores daños a la piel, tales como el resecamiento y la hipersensibilidad, mucho de lo cual impide el control de la enfermedad, debido a estas características provocadas por el desconocimiento de la enfermedad. Es también importante evitar el uso de productos que contengan alcohol, otras sustancias irritantes y principalmente del estrés y los productos que agravan los síntomas de la rosácea.

TRATAMIENTO HOMEOPÁTICO

Incluye medicamentos sintomáticos como:

- Carbo animalis a la 5 o 7 CH.
- Árnica montana a la 9 o 15 CH.
- Sanguinaria canadensis, Eugenia jambosa y Calcarea fluorica a la 5 o 9 CH.

Las dosis son tomadas dos veces al día.

Medicamentos de terreno como:

- Lachesis mutus a la 15 o 30 CH.
- Sulfur a la 15 o 30 CH.
- Thuya occidentalis a la 9 o 15 CH
- Sepia a la 15 o 30 CH.

TRATAMIENTOS ALTERNATIVOS

DIETA

Aun cuando se considera que la alimentación no es un factor determinante en la aparición de acné, y no se recomienda seguir una dieta especial durante el tratamiento, sugiero evitar todos aquellos alimentos que agraven el proceso por una posible alergia alimentaria no descubierta. Pero como siempre es bueno llevar una dieta con alimentos integrales que ayuden a limpiar los sistemas vitales con especial hincapié en abundantes vegetales (de cuatro a cinco raciones diarias, de las cuales la mitad deben ser crudas para que conserven sus propiedades nutritivas), frutas frescas, jugos, cereales enteros (trigo, avena, arroz, cebada), legumbres (judías, guisantes, lentejas) y mucha agua para ayudar a elimnar las toxinas en el organismo, las carnes deben ser magras (pollo, pavo, ganso, pato, etc.) y cocidas al vapor o en horno en lugar de freírlas o asarlas, sustituir la leche entera y sus derivados enteros por descremados (no más de un vaso de leche y una tacita de queso fresco al día). Y mientras más severo sea el acné, la carne roja (vaca, cerdo, cordero y oveja) y las grasas deben ser reducidas, especialmente las animales (saturadas) y las grasas vegetales.

Otro aspecto a considerar es la eliminación de alimentos estresores como la cafeína, té, refrescos, alcohol, azúcares refinados, dulces, chocolates, cacao, cacahuates, pasteles, alimentos procesados y congelados, aceites fritos, espárragos, féculas, alcachofas, mantequilla, algas, mariscos y crustáceos.

Es necesario aumentar el consumo de fibra que es un elemento clave en la alimentación, ya que aunque no aporta ningún nutriente, principalmente logra la desintoxicación del organismo y por ende libera al cuerpo de sustancias dañinas que taponan los poros por falta de materiales adecuados que las arrastren hacia el exterior (tal como lo hace la fibra desde que entra en el estómago). Otros de sus efectos son la reducción de la producción de colesterol, el control del peso y la protección contra la diabetes y enfermedades coronarias. La fibra consiste en celulosa, pectina, gomas y otros materiales que no son digeribles, pero que están presentes en los alimentos vegetales, por lo cual es posible encontrarla en las frutas y hortalizas, cereales, panes integrales, frutos secos y legumbres.

El agua es el constituyente más importante del organismo, no solamente hidrata los tejidos, sino que es el elemento por medio del cual ocurren la mayor parte de las reacciones químicas, motivo por el cual el organismo necesita diariamente al menos ocho vasos de agua, pero también para ayudar a disolver y expulsar todas las sustancias tóxicas que se generan e introducen al organismo tanto por ser ingeridas en las comidas como por todos los agentes externos que se respiran y adhieren a la piel y a las mucosas. El consumo de agua es más importante que el aporte energético, ya que es posible ayunar durante varias semanas, sin embargo el ayuno de agua no puede durar más de 48 horas sin producir trastornos graves, también es importante su consumo porque aporta minerales y proporciona el equilibrio hídrico que se necesita para mantener la salud y la vida. Es así como la necesidad de agua es permanente y debe estar siempre presente en la dieta alimenticia.

Alimentos antiacné

- **Aceite de oliva:** protege las arterias, reduce la presión arterial, regula el azúcar en la sangre, previene contra el ataque de los radicales libres productores de estrés.

- **Aguacate:** dilata los vasos sanguíneos, protege contra los radicales libres, mata las bacterias, acelera el metabolismo y ayuda a quemar calorías.

- **Ajo:** mata las bacterias, desinfecta, estimula la circulación, levanta el ánimo, sana las heridas, alivia la inflamación y estimula el sistema inmunitario.

- **Apio:** destruye bacterias y hongos en el estómago y los intestinos, fortalece los nervios y el cerebro, alivia el estrés, nutre y mantiene saludable la piel.

- **Arándano:** inhibe las bacterias, impide que se adhieran a las células, previene infecciones.

- **Avena:** ayuda a controlar la actividad hormonal, estabiliza el azúcar en la sangre, previene del ataque de los radicales libres productores de estrés.

- **Berenjena:** trata los problemas cutáneos y contrarresta los efectos nocivos de los alimentos grasos.

- **Breva:** mejora la piel, controla la pérdida de colágeno y elastina, remineraliza el organismo.

- **Brócoli:** acelera el proceso de eliminación de estrógeno en el organismo, previene del ataque de los radicales libres productores de estrés, fortalece la circulación, estimula el sistema inmunitario, alivia los trastornos menstruales de la mujer, mejora la digestión y alivia el estreñimiento.

- **Calabaza:** estimula la digestión, desintoxica el intestino, disminuye los depósitos de grasa, fortalece el sistema inmunitario, calma y refuerza los nervios, inhibe la producción de sebo y la hiperqueratosis.

- **Cebolla:** hace salir la infección del acné, ayuda a tratarlo, estimula la circuldción y reduce la inflamación.

- **Ciruela:** ayuda a eliminar toxinas retenidas en el organismo y actúa contra las bacterias.

- **Col:** regula los niveles hormonales y previene del ataque de los radicales libres productores de estrés.

- **Chícharo:** mejora el estado de ánimo, fortalece los nervios, actúa contra el estreñimiento y desintoxica el organismo.

- **Ejote:** rejuvenece las células, activa los procesos de la digestión y fortalece la circulación.

- **Fresa:** mata las bacterias, favorece la digestión y desintoxica.

- **Guayaba:** favorece la cicatrización de las heridas y desinfecta.

- **Higo:** mata las bacterias y alivia las úlceras.

- **Jengibre:** reduce la inflamación y limpia la sangre.

- **Leche desgrasada y sus derivados:** previenen del ataque de los radicales libres productores de estrés.

- **Lechuga:** refuerza el sistema inmunitario, actúa contra los radicales libres productores de estrés y refuerza los nervios.

- **Limón:** elimina las infecciones, mata las bacterias, limpia las lesiones, neutraliza, elimina y quema toxinas, activa la circulación, reduce las grasas, activa las secreciones, limpia la sangre, protege el hígado, limpia la piel y tonifica los nervios.

- **Mango:** ayuda a sanar las lesiones.

- **Manzana:** calma los nervios y el estrés, limpia el organismo, elimina toxinas, ayuda a desinfectar las heridas, neutraliza la acidez de la sangre, favorece la digestión, elimina las intoxicaciones, previene la obesidad, revitaliza el sistema nervioso y alivia la inflamación.

- **Melón:** limpia la piel, hace salir las manchas, alcaliniza los humores, limpia el organismo, fortalece los nervios, previene del ataque de los radicales libres productores de estrés.

- **Miel:** calma y tranquiliza.

- **Naranja:** protege del ataque de los radicales libres productores de estrés.

- **Pan integral:** favorece la digestión.

- **Papaya:** activa la circulación y la digestión, alivia intoxicaciones y purifica el organismo.

- **Pepino:** desintoxica el intestino, ayuda a perder peso, fortalece el sistema inmunitario y embellece la piel.

- **Pera:** estimula las funciones del sistema circulatorio, alcaliniza los humores de la sangre, alivia el estreñimiento, el acné y el eczema.

- **Pescado:** favorece la eliminación de la inflamación, limpia y adelgaza la sangre.

- **Piña:** normaliza la flora microbiana, corrige el estreñimiento y desinflamación, activa la digesción, elimina infecciones y toxinas, alivia la depresión y los trastornos nerviosos.

- **Pitahaya:** ayuda a bajar de peso, alivia el estreñimiento, limpia el riñón y elimina toxinas.
- **Puerro:** estimula la circulación, limpia el intestino de bacterias, alivia el estreñimiento y fortalece el sistema inmunitario.
- **Rábano:** limpia la piel, estimula la circulación, sana las lesiones del acné, expulsa la infección y favorece la curación.
- **Sandía:** previene del ataque de los radicales libres productores de estrés y actúa contra las bacterias.
- **Toronja:** limpia el sistema digestivo, equilibra el sistema nervioso, ayuda a deshacer grasas corporales, limpia y mantiene sana la piel (exfolia), elimina las toxinas corporales, estimula las funciones del sistema inmunitario y reduce la infección.
- **Uva:** elimina toxinas y ácidos depositados en los tejidos, estimula las funciones del sistema inmunitario, actúa contra las bacterias, alcaliniza el organismo y alivia trastornos nerviosos.
- **Yoghurt:** fortalece el sistema inmunitario, mata las bacterias, combate la putrefacción causante de un cutis enfermo.

- **Zanahoria:** fortalece el sistema inmunitario, embellece la piel, mata las bacterias y combate infecciones.

Con los alimentos anteriores es posible preparar la fruta en tartas, mermeladas, compotas, evitando añadir crema, leche y Yoghurt grasos; en lugar de tomar helado de frutas es mejor sustituirlos por frutas frescas congeladas. Las verduras deben ser cocidas pasadas por agua u horneadas, evitar las precocidas o freírlas en aceite o mantequilla, preparar sopas y ensaladas, estas últimas deberán ser crudas en su mayoría y aderezadas con limón y un poco de aceite de oliva, evitando agregar quesos, Yoghurt o nata grasos.

Sólo como una excepción se debe consumir 1/2 litro de yoghurt natural a la semana a fin de reponer las bacterias benéficas del sistema digestivo, ya que por el consumo de antibióticos para tratar el acné no sólo se eliminan las bacterias malas sino también las benéficas.

Así entonces, para favorecer el tratamiento del acné es necesario mantener un plan alimenticio de desintoxicación, laxante y calmante de los estados de estrés, por lo que el desayuno debe ser rico en carbohidratos y proteínas, pobre en grasas, para lo cual es necesario incluir fruta fresca (pera, manzana, melón, plátano, etc.), así como cereales integrales, leche descremada, huevo, vegetales (papas, champiñones) y jugos de fruta. La comida puede incluir de nuevo fruta y hortalizas en sopas, ensaladas y guiso (lechuga, jitomate, zanahoria, apio, etc.), frutos secos (dátiles, higos, almendras, nueces, avellanas, semillas de girasol), carne magra y tortilla o pan integral. La cena puede contener ensaladas de vegetales y pequeñas cantidades de queso y carnes magros.

Día 1

Ayunas

- Jugo de frutas o un vaso de agua purificada con unas gotas de jugo de limón.

Desayuno

- Jugo de frutas diluido con agua mineral o infusión de manzanilla.
- Fruta fresca entera.
- Copos de avena cocidos con pasas o plátano.

Comida

- Jugo de fruta diluido con agua mineral o agua purificada con unas gotas de jugo de limón.
- Ensalada de vegetales verdes con germinados de alfalfa.
- Verduras al vapor.
- Fruta fresca.
- Arroz integral, avena o mijo hervidos.

Cena

- Jugo de vegetales diluido con agua mineral.
- Verduras crudas y al vapor.
- Ensalada variada de vegetales (combinación de no más de tres).
- Fruta fresca.
- Arroz integral, avena o mijo hervidos.

Día 2

Ayunas

- Jugo de frutas o un vaso de agua purificada con unas gotas de jugo de limón.

Desayuno

- Leche o té endulzado con miel.
- Pan integral con mermelada de ciruela.

Comida

- Sopa de elote y calabazas.
- Ejotes con jitomate y gluten de soya.
- Manzana fresca.

Cena

- Consomé con cuadros de pan
- Ensalada de huevo, chícharos, zanahorias y aceitunas.
- Yoghurt con miel.

Día 3

Ayunas

- Jugo de frutas o un vaso de agua purificada con unas gotas de jugo de limón.

Desayuno

- Jugo de frutas diluido con agua mineral o infusión de manzanilla.
- Fruta fresca entera.
- Copos de avena cocidos con pasas o plátano.

Comida

- Sopa juliana.
- Ternera con papas.
- Ensalada de lechuga y jitomate.
- Uvas.

Cena

- Puré de papa.
- Pescado al ajillo en vapor.
- Melón.

Día 4

Ayunas

- Jugo de frutas o un vaso de agua purificada con unas gotas de jugo de limón.

Desayuno

- Leche con té endulzado con miel.
- Pan integral con mermelada.

Comida

- Lentejas.
- Tortilla española de papas con huevo.
- Fruta fresca o higos, pasas o dátiles.

Cena

- Verduras al vapor.
- Pollo guisado con chícharos y zanahorias.
- Manzana asada con miel.

Día 5

Ayunas

- Jugo de frutas o un vaso de agua purificada con unas gotas de jugo de limón.

Desayuno

- Jugo de frutas diluido con agua mineral o infusión de manzanilla.
- Fruta fresca entera.
- Copos de avena cocidos con pasas o plátano.

Comida

- Acelgas al vapor.
- Filete de pescado con zanahorias.
- Ensalada de lechuga con jitomate y aceitunas.
- Fruta o compota de ciruelas.

Cena

- Espinacas con jamón magro.
- Croquetas de atún.
- Yoghurt con miel.

Día 6

Ayunas

- Jugo de frutas o un vaso de agua purificada con unas gotas de jugo de limón.

Desayuno

- Leche o té endulzado con miel.
- Pan integral con mermelada de ciruela.

Comida

- Puré de papa.
- Pescado guisado.
- Ensalada de betabel

Cena

- Sopa de espinacas.
- Tortilla de chícharos.
- Queso blanco.
- Fruta fresca.

DÍA 7

Ayunas

- Jugo de frutas o un vaso de agua purificada con unas gotas de jugo de limón.

Desayuno

- Jugo de frutas diluido con agua mineral o infusión de manzanilla.
- Fruta fresca entera.
- Copos de avena cocidos con pasas o plátano.

Comida

- Sopa de tallarines integrales.
- Berenjena rellena.
- Bistec de soya guisado.

Cena

- Ensalada de verduras.
- Fruta fresca.

Los menús anteriores son una guía práctica para planear la dieta, sin embargo existe una gran variedad de platillos y postres que favorecen la salud de la piel porque incluyen no sólo las frutas y verduras, sino también una extensa gama de hierbas de la sección de fitoterapia, que a la vez pueden servir para alimentar sanamente al resto de la familia.

Cuando no se mejora el acné realizando los cambios anteriormente mencionados, es necesario comprobar si existe algún problema por ejemplo en la cantidad de ingesta de leche o quesos grasos en lugar de descremados y frescos, o quizás que ciertos alimentos contengan mantequilla, o que se engañe comiendo un poco de aquí y allá y se olvide de que en conjunto hace una gran unidad de calorías. Otro aspecto también importante es que aun cuando la dieta sea bajo la misma regla de equilibrio natural, por el simple hecho de que existan tensiones, estrés y algunas enfermedades como un resfriado o el periodo menstrual es posible que el acné sufra una acentuación, sin embargo después de que éstas pasen disminuyendo la gravedad de los síntomas.

RECETARIO SALUDABLE

Huevos revueltos

Ingredientes

- 2 tazas de hojas de diente de león
- 6 huevos
- 2 cdas. de leche
- 2 cdas. de aceite vegetal
- sal y pimienta al gusto

Preparación

Sofreír ligeramente las hojas durante 10 minutos, aparte mezclar el huevo, leche, sal y pimienta, enseguida verter y cocer durante 5 minutos a fuego lento.

Huevos florentinos

Ingredientes

- 4 huevos
- 3 cdas. de queso crema o desgrasado
- 4 tazas de hojas de diente de león
- sal y pimienta al gusto

Preparación

Cocer en una sartén las hojas y la crema durante 3 minutos, agregar los huevos batidos, salpimentar y mezclar perfectamente, cocer a fuego lento.

Sopa europea

Ingredientes

- 1/2 cebolla picada
- 1 diente de ajo picado
- 4 tazas de hojas de diente de león picadas
- 2 cdas. de curry
- 1 cda. de aceite de oliva
- 2 tazas de papas en cuadros
- 1 litro de agua
- sal al gusto
- pimienta negra molida

Preparación

Saltear la cebolla, el ajo y el curry en el aceite de oliva, agregar las papas y las hojas a que queden traslúcidas, añadir el agua y dejar cocer las papas durante 30 minutos; retirar del fuego, mezclar en una batidora y volver a calentar.

Sopa naranja

Ingredientes

- 1/2 kg de zanahoria en rodajas
- 15 gr de margarina
- 1 cebolla picada
- 3/4 de litro de caldo de vegetales
- 1 cda. de cilantro
- 1 naranja con jugo y pulpa
- sal al gusto

Preparación

Freír la cebolla y las zanahorias en margarina durante cinco minutos, agregar el resto de los ingredientes, dejar a fuego lento durante 30 minutos. Cuando las zanahorias estén blandas, dejar enfriar un poco y pasar por la batidora hasta lograr una consistencia cremosa.

Sopa clásica

Ingredientes

- 1 1/2 litro de agua
- 1 taza de carne de soya sabor a pollo

- 1/2 cda. de concentrado de pollo
- 1 taza de ejotes cortados
- 1 taza de apio cortado
- 1 taza de setas cortadas
- 1 cda. de harina
- 1 huevo
- sal al gusto

Preparación

Hervir todos los ingredientes menos la harina y el huevo. Al cocerse los ejotes espesar con la harina disuelta en agua, mezclar perfectamente, enseguida vaciar un huevo en una coladera de orificio pequeño y colarlo en la olla para ayudar a espesar la sopa.

Sopa de lentejas

Ingredientes

- 1/2 litro de agua
- 1/2 taza de lentejas remojadas
- 1 cebolla
- 2 papas en cuadros
- 1/4 de cda. de tomillo
- 1 cda. de aceite
- sal al gusto

Preparación

Hervir el agua, agregar las lentejas y el resto de los ingredientes, dejar a fuego lento, añadir el aceite al final.

Paté verde

Ingredientes

- 1 cebolla picada
- 1 diente de ajo
- 200 g de zanahorias ralladas
- 15 espinacas grandes
- 100 g de queso blanco
- 1 taza de pan molido integral
- 1 huevo batido
- jugo de un limón
- hierbas de olor
- salsa tabasco
- pimienta negra molida
- aceite de oliva
- sal al gusto

Preparación

Precalentar el horno, calentar el aceite de oliva en un sartén, agregar la cebolla y el ajo, añadir la zanahoria y cocinar durante cinco minutos más. Retirar del fuego y agregar los ingredientes restantes, mezclar perfectamente, engrasar un molde y rellenarlo con la mezcla. Meter al horno a 180 °C durante 35 minutos; dejar enfriar dentro del molde y servir.

Puré de chícharos

Ingredientes

- 2 litros de agua
- 2 tazas de chícharos secos
- 1 zanahoria rallada
- 1 trozo de apio

- 1 cebolla picada
- 1/4 de cdita. de tomillo
- 1 hoja de laurel
- sal al gusto

Preparación

Hervir todos los ingredientes durante 10 minutos; después reducir el fuego y dejar que se ablanden los chícharos, enseguida pasar por la batidora.

Pollo tropical

Ingredientes

- 500 g carne de soya hidratada sabor a pollo
- un mango en almíbar
- 2 tazas de leche descremada
- 1 diente de ajo
- un trozo de jengibre fresco
- 1 cda. de aceite de oliva
- 40 g de margarina
- 1 taza de harina integral
- pimienta negra molida
- sal al gusto

Preparación

Untar la carne con el aceite, salpimentar al gusto, colocarla en la plancha y dejar cocer. Aparte fundir la margarina, añadirle la harina removiendo para eliminar los grumos, retirar del fuego y agregarle la leche removiendo constantemente. Colocar de nuevo a fuego lento, continuar moviendo hasta que la salsa espese, agregar el jugo y la pulpa de mango, el jengibre, el ajo, la sal y pimienta.

Dejar 5 minutos en el fuego y retirar, servir la carne con la salsa.

Pollo guisado

Ingredientes

- 2 tazas de carne de soya hidratada sabor a pollo
- 1 taza de champiñones en rajas
- 1 taza de apio en trozos
- 1/2 taza. de cebolla picada
- 1 cda. de jugo de limón
- 1 taza de castañas en agua
- 1 taza de almendras picadas
- 2 cdas. de mayonesa natural
- sal al gusto

Preparación

Mezclar perfectamente la carne con la mayonesa, poner a cocer, agregar la cebolla, las castañas con su agua, el apio y las almendras, dejar a fuego lento, antes de retirar de la lumbre agregar los champiñones, el limón y la sal.

Hamburguesas campestres

Ingredientes

- 350 g de carne de soya para hamburguesas
- 1 cebolla picada
- 152 g de zanahoria rallada
- 120 g de queso blanco rallado
- 125 g de germen de trigo

- 1 huevo batido
- 2 cdas. de perejil picado
- aceite de oliva
- pimienta negra
- sal al gusto

Preparación

Mezclar todos los ingredientes y formar las hamburguesas. Untarlas con aceite y colocar sobre una plancha a fuego medio, durante 8 minutos para cada lado.

Hamburguesas falsas

Ingredientes

- 8 cdas. de avena
- 1 cebolla picada
- 1 cda. de leche
- 5 huevos
- 2 cdas. de salsa de soya
- sal al gusto

Preparación

Mezclar perfectamente todos los ingredientes, formar las hamburguesas, cubrirlas con salsa de jitomate, dejar reposar durante 15 minutos, meterlas al horno durante 20 minutos a fuego medio.

Cazuela de judías

Ingredientes

- 500 g de judías blancas, verdes y pintas cocidas.
- 500 g de jitomate picado

- 2 tallos de apio picado
- 125 g de champiñones en rajas
- orégano fresco
- 1 limón
- 1 chile pasilla seco
- sal al gusto

Preparación

Precalentar el horno, licuar el jitomate, el apio y el limón, agregar las judías y demás ingredientes. Remover, e introducir al horno en un molde alto a 190 °C durante 40 minutos, mover de vez en cuando.

Pescado tailandés

Ingredientes

- 500 g de filete de bacalao fresco
- 1 cda. de aceite de oliva
- 6 cebollas de cambray picadas
- 1 pimiento verde y rojo en rajas
- 500 g de jitomate sin piel
- la pulpa de un limón y lima
- 4 ciruelas
- 2 cdas. de salsa de soya
- 1 trozo de jengibre fresco rallado
- 2 cdas. de perejil picado
- sal al gusto
- pimienta negra molida

Preparación

Calentar el aceite en una cazuela de barro, agregar la cebolla y los pimientos, freír durante tres minutos. Añadir los jitomates, limón, lima, salsa de soya, jengibre y salpimentar al gusto; remover y dejar cocer a fuego lento; precalentar el horno, retirar del fuego y colocar el filete sobre la mezcla; hornear a 180 °C durante 30 minutos.

Judías guisadas

Ingredientes

- 2 tazas de judías pintas remojadas
- 1 taza de puré de jitomate
- 1 1/2 litros de agua
- 1 pimiento rojo picado
- 1 cebolla picada
- 1 diente de ajo picado
- sal al gusto
- aceite

Preparación

Hervir las judías en agua, agregar cebolla y aceite; aparte saltear el pimiento, un poco de cebolla y el ajo, añadir a las judías junto con el puré, hervir a fuego lento y meter al horno hasta que la mezcla se espese.

Pastel de carne

Ingredientes

- 2 tazas de verduras en cuadros y cocidas
- 1 cebolla picada
- 1 taza de carne de soya hidratada
- 4 tazas de puré de papa
- 3 cdas. de aceite de oliva
- sal al gusto

Preparación

Saltear la cebolla en aceite, agregar la verdura y la carne, y guisar. Enseguida agregar el puré y cubrir perfectamente la mezcla; meter al horno a dorar a 175 °C durante 35 minutos.

Ensalada Colman

Ingredientes

- 1 col en rajas
- 2 manzanas en cuadros
- 125 g de pasas
- 2 cdas. de jugo de manzana
- 1 taza de yoghurt natural
- 1 cda. de aceite de oliva
- pimienta negra molida
- 10 nueces picadas

Preparación

Mezclar todos los ingredientes perfectamente.

Ensalada mixta

Ingredientes

- 75 g de germinados de alfalfa
- 2 plátanos en rodajas
- 4 tallos de apio picado
- 1 naranja en gajos
- 1 zanahoria rallada
- 2 rebanadas de piña en cuadros
- 100 g de pasas
- 50 gr. de avellanas troceadas

- 3 cdas. de yoghurt natural
- 2 cdas. de jugo de piña
- pimienta negra molida
- sal al gusto

Preparación

Mezclar perfectamente todos los ingredientes.

Ensalada leona

Ingredientes

- 2 taza de tofu
- 4 tazas de hojas de diente de león picadas
- albahaca picada
- sal al gusto

Preparación

Triturar el tofu, remojar en agua hirviendo sin dejar de mover, añadir las hojas la sal, y cubrir con la mezcla; dejar ablandar durante 10 minutos y agregar la albahaca.

Ensalada italiana

Ingredientes

- 2 tazas de arroz integral
- 4 cdas. de aceite de oliva
- 2 cdas. de vinagre
- 1 diente de ajo
- 1 cdita. de tomillo
- 75 g de queso blanco en cuadros
- 175 g champiñones en rajas

- 8 cebollas de cambray
- 2 tallos de apio cortado
- 3 rebanadas de piña picadas
- 4 duraznos picados
- sal al gusto
- pimienta negra molida

Preparación

Cocer el arroz hasta que esté en su punto, preparar el aliño mezclando el vinagre, el ajo, el aceite y el tomillo. Colocar los ingredientes restantes en un recipiente, agregar el aliño y al final el arroz, dejar reposar durante una hora.

Aliño picante

Ingredientes

- 4 dientes de ajo
- 1 1/2 tazas de aceite de oliva
- 1/2 taza de jugo de limón
- sal al gusto

Preparacion

Mezclar perfectamente todos los ingredientes y dejar reposar al menos seis horas antes de usar.

Aliño especial

Ingredientes

- 1 taza de puré de jitomate
- 1 1/2 cda. de aceite de oliva
- 3/4 de taza de jugo de limón

- 1 cebolla picada
- 1 cda. de salsa de soya
- 1/3 de cda. de ajo en polvo
- sal al gusto

Preparación

Mezclar perfectamente todos los ingredientes.

Aliño griego

Ingredientes

- 1 1/2 tazas de jugo de limón
- 1 1/2 tazas de aceite de oliva
- 1/2 cda. de cebolla picada
- 1/2 cda. de pimentón en polvo
- 1/4 de cda. de ajo en polvo
- 1 cdita. de azúcar
- sal al gusto

Preparación

Mezclar perfectamente todos los ingredientes en una batidora.

Guacamole tradicional

Ingredientes

- 2 aguacates sin hueso
- 3 chiles cuaresmeños
- 3 cdas. de jugo de limón
- 1 cda. de cebolla picada
- 1 jitomate sin semillas y en cuadros
- sal al gusto

Preparación

Machacar el aguacate con el jugo de limón hasta que tenga una textura suave, y añadir la sal y la cebolla; al final agregar el jitomate.

Mayonesa natural

Ingredientes

- 1 taza de leche evaporada
- 1 taza de aceite para ensalada
- 1 cdita. de sal de apio
- 1/2 cdita. de pimentón
- 1/4 de taza de jugo de limón

Preparación

Con excepción del jugo de limón, mezclar perfectamente todos los ingredientes en la batidora a velocidad media, después de unos minutos agregar el jugo, continuar mezclando, dejar en reposo durante 30 minutos y volver a mezclar con la batidora.

Salsa champiñón

Ingredientes

- 1 cebolla picada
- 4 cdas. de aceite
- 2 tazas de caldo de vegetales
- 1 taza de champiñones
- sal al gusto

Preparación

Saltear la cebolla en el aceite, añadir el resto de los ingredientes y dejar espesar.

Postre delicias

Ingredientes

- 250 g de moras
- 250 g de frambuesas
- 1 limón en gajos
- 1 naranja en gajos
- 125 g de azúcar morena
- 125 g de copos de avena
- 50 g de margarina
- 30 g de piñones
- nuez moscada al gusto

Preparación

Colocar las moras y las frambuesas al fuego con un poco de agua, sacarlas del fuego, agregar la mitad de azúcar, la naranja y el limón, revolver perfectamente. Vaciar en un molde; aparte fundir la margarina, agregar el azúcar restante, la avena, la nuez moscada y los piñones, y mezclar perfectamente; vaciar encima de la fruta la mezcla y calentar en el horno a 180 °C durante 30 minutos.

Manzana reina

Ingredientes

- 4 tazas de manzana en cuadros
- 1/4 de taza de azúcar

- 1 taza. de pasas
- 1/4 de taza de avena
- 1/4 de cdita. de harina de trigo integral
- 1/4 de cdita. de aceite de maíz
- 1/4 de cdita. de mascabado
- 1 cda. de jugo de limón
- 1 cdita. de canela
- 1 cda. de margarina

Preparación

Engrasar un molde, ahí mismo mezclar las pasas y la manzana, rociar el azúcar y el jugo de limón; mezclar el aceite con el mascabado, y la harina; revolver con la mezcla anterior y meter al horno a 175 °C durante 45 minutos.

Yoghurt delicias del bosque

Ingredientes

- 1 litro de leche
- 150 g de moras
- 150 g de fresas
- 150 g de frambuesas
- 2 cdas. de yoghurt natural

Preparación

Hervir la leche y dejarla a fuego lento 1 minuto, dejar enfriar hasta que entibie, aparte batir el yoghurt y agregar poco a poco la leche, continuar batiendo, agregar las frutas, cubrir con plástico adherible, dejar cuajar durante ocho horas y meter al refrigerador.

Compota de manzana

Ingredientes

- 1 taza de compota de manzana
- 2 tazas de harina integral
- 1 cdita. de levadura
- 1 cdita. de canela
- 3 clavos de olor
- 1/2 taza de margarina
- 1 taza de azúcar morena
- 1 huevo
- 1 taza de nueces picadas
- 1 taza de pasas
- 1 cdita. de vainilla

Preparación

Cernir la harina, añadir la margarina y el azúcar, mezclar perfectamente; enseguida agregar el huevo y la vainilla, añadir poco a poco la compota hasta quedar una mezcla uniforme, espolvorear las nueces y pasas, engrasar una charola y separar en tres la mezcla formando círculos, meter al horno a 175 °C durante 15 minutos.

CURAS Y MONODIETAS

En todos los tiempos las curas y monodietas de frutas y legumbres han sido privilegio de salud y vitalidad, por lo cual en el tratamiento del acné no podían faltar, por sus principales beneficios para la desintoxicación, la depuración y revitalización del organismo. Pero demostrar que su sabor y combinación también estimulan la sensibilidad del sentido del gusto, permite comprobar que la monotonía alimenticia llevada hasta un poco antes de comenzar con las curas o monodietas puede ser cambiada por el placer y la alegría que genera descubrir el sabor real de una fruta o legumbre que se había perdido, disminuido o pasado de forma inadvertida por una mala combinación con productos refinados y altamente químicos.

Una manera fácil de comenzar a habituarse a esta terapia es tratar con algunas monodietas durante uno o dos días por semana durante varios meses, las cuales pueden ser a base de verduras al vapor y arroz integral, sin productos o derivados animales. O bien practicar el ayuno una vez por semana con jugos de verduras frescas, agua, limón y miel, o con el agua de la maceración de granos de trigo durante 12 horas para contribuir a limpiar adecuadamente el organismo.

- **Ayuno antiacné:** practicar una vez cada cuatro días ayuno con jugo de espinaca, pepino, lechuga, betabel, zanahoria y apio. Al día siguiente continuar con una dieta sana y equilibrada.

- **Cura depuradora del organismo:** consumir durante todo el día, una vez por mes, papaya en jugo y pulpa.

- **Cura contra el acné y la obesidad:** comer dos peras antes de la comida, uno o dos días por semana.

- **Cura con limones:** se recomienda en ayunas. El primer día se toma el jugo de un limón, el segundo, cuatro limones, el tercero, ocho, y el cuarto día,

12 limones; después reducir de dos en dos hasta llegar a la cantidad inicial. Esta cura ofrece el beneficio de ayudar a bajar de peso y limpiar la sangre

- **Cura con peras:** se comen dos kilos o más cada día, durante cuatro días, puede repetirse cada dos meses. Su efecto remineraliza y depura el organismo.

- **Cura con uvas:** comenzar con un kilo diario, aumentando hasta dos o tres kilos diarios, durante cinco días. Su efecto nutre y limpia de toxinas el organismo.

- **Cura con jugo de manzana:** tomar durante todo el día el jugo, al menos dos días. Su efecto limpia el intestino, ayuda a digerir mejor y a aprovechar más lo que se come.

- **Cura con jugo de berros:** tomar durante todo el día el jugo. Su efecto desinfecta y reconstituye el organismo.

- **Cura de ensalada:** preparar combinaciones de puerros, lechuga, papas cocidas con piel, chícharos, rábano, cebolla, apio, jitomate, pimiento, pepino y zanahoria; aderezar con jugo de limón y comer durante todo el día. Su efecto ayuda a combatir las enfermedades de la piel, el riñón, el hígado y la obesidad.

- **Cura con ajo:** comer uno o dos dientes en ayunas, durante cinco días, ir aumentando la cantidad cada día, suspender por cinco días y repetir de nuevo. Su efecto cura la inflamación del intestino, estimula la digestión, combate las fermentaciones y putrefacciones, mejora la circulación sanguínea, purifica y fluidifica la sangre.

NOTA: Evitar las monodietas y curas en caso de sufrir hipoglucemia, debilidad o que sean necesarios los alimentos para mantener la fuerza y poder para trabajar.

Debido a que se eliminan toxinas con la monodieta, la alimentación durante los días siguientes debe ser una dieta prudente sobre todo porque se puso en reposo los órganos de la digestión, por lo cual la reanudación alimenticia debe ser de la siguiente manera:

DÍA 1

Ayuno
- Jugo de fruta.

Desayuno
- 1 manzana con ciruelas.

Media mañana
- Jugo de frutas.

Comida
- Jugo de verduras.
- Sopa de verduras.
- 1 cda. de levadura de cerveza y germen de trigo.

Media tarde

- Jugo de frutas.

Cena

- Sopa de verduras.
- 1 cda. de levadura de cerveza y germen de trigo.

Antes de acostarse

- Té de tilo, lavanda y flores de azahar.

Día 2

Ayuno

- Jugo de frutas.

Desayuno

- Manzana con higos hidratados.

Media mañana

- Jugo de frutas.

Comida

- Jugo de hortalizas.
- Ensalada verde con zanahorias.
- Puré de chícharos.

Media tarde

- Jugo de frutas.

Cena

- Sopa de hortalizas verdes.
- Queso blanco.
- Compota de manzana.

Antes de acostarse

- Té de tilo, lavanda y flores de azaha.r

Día 3

Ayuno

- Jugo de frutas.

Desayuno

- Dos frutas con queso blanco.
- 1 cda. de semillas de lino.

Media mañana

- Jugo de frutas.

Comida

- Jugo de hortalizas.
- Hortalizas crudas o ensalada aliñadas.
- Arroz integral.

Media tarde

- Jugo de frutas.

Cena

- Ensalada de hortalizas verdes al vapor.
- Queso blanco.
- Pan de soya tostado.

Antes de acostarse

- Té de tilo, lavanda y azahar.

Al día siguiente continuar con una alimentación sana, sin carne y pescado hasta el octavo día, a fin de evitar la putrefacción dentro del organismo, y para favorecer los resultados de desintoxicación obtenidos durante la cura o monodieta.

JUGOTERAPIA ANTIACNÉ

La piel es especialmente susceptible a los efectos de un mal funcionamiento del sistema digestivo o de los riñones que son los que se encargan de eliminar los residuos de los alimentos y las toxinas, estos efectos salen del interior del cuerpo y causan estragos en la piel tales como los brotes y otros trastornos. Por lo cual es indispensable apoyarse en los beneficios que aporta la jugoterapia como la riqueza en minerales y vitaminas que son necesarios para la digestión y el mantenimiento de todos los sistemas que integran el organismo humano, así como por su contribución de antioxidantes como el betacaroteno y las vitamina C y E, capaces de limitar el impacto del envejecimiento prematuro, así como de enfermedades devastadoras como el estrés y el cáncer, por su contenido en carotenoides, antocianinos, sustancias antibacterianas y antivíricas que aportan a la piel y al organismo un seguro de vida y salud.

De este modo, lo recomendable para tratar el acné es tomar en ayunas un vaso de jugo diario y variar las combinaciones de los jugos a fin de obtener los mejores resultados. Extraer los jugos por separado y después mezclarlos con una cuchara de madera, es posible disolver los jugos con agua mineral.

Jugos antiacné

- Jugo de alfalfa, apio, perejil y calabaza.
- Jugo de arándano y manzana. Además, ofrece el beneficio de mantener la piel libre de impurezas.
- Jugo de betabel, jitomate y col.
- Jugo de betabel, zanahoria y col.
- Jugo de cereza, albaricoque y nectarina.
- Jugo de espinaca y manzana. Además, aporta el beneficio de ayudar a sanar las heridas rápidamente.
- Jugo de espinaca y zanahoria. Además, proporciona el beneficio de prevenir los efectos de los radicales libres productores de estrés.
- Jugo de espinaca, zanahoria, jitomate, perejil, lechuga, apio y betabel.
- Jugo de frambuesa.
- Jugo de fresa, ruibarbo y miel. Desayunar una hora después, tomarlo tres veces por semana.
- Jugo de fresa y mango. Además, tiene el beneficio de ayudar a sanar las heridas rápidamente.
- Jugo de jitomate, ajo y apio.
- Jugo de jitomate y brócoli.
- Jugo de lechuga y zanahoria.
- Jugo de mandarina y frambuesa. Además, aporta el beneficio de combatir el estrés.
- Jugo de mango y zanahoria. Además, tiene el beneficio de prevenir el daño de los radicales libres, productores de envejecimiento prematuro, cáncer y estrés.
- Jugo de manzana, frambuesa y grosella. Además, cuenta con el beneficio de acelerar el proceso de curación de las heridas.

- Jugo de manzana, mango y frambuesa.
- Jugo de manzana, zanahoria y perejil. Además, ofrece el beneficio de desintoxicar rápidamente.
- Jugo de manzana y grosella. Además, proporciona el beneficio de calmar el sistema nervioso y el estrés.
- Jugo de naranja y fresa. Además, ayuda a mantener una piel hermosa.
- Jugo de naranja, toronja y limón. Además, contribuye a desintoxicar rápidamente.
- Jugo de papaya y durazno.
- Jugo de pepino, limón, apio y rábanos. Desayunar una hora después, tomarlo durante nueve días seguidos y descansar siete, retomar nueve días más y no volver a tomarlo hasta seis meses después. Además, ayuda a disminuir la obesidad y el mal aliento.
- Jugo de pepino y zanahoria.
- Jugo pera y fresa. Además, ayuda a desintoxicar rápidamente.
- Jugo de pera y uva. Además, tiene el beneficio de evitar la acumulación de toxinas, el estreñimiento y las impurezas de la piel.
- Jugo de piña y mango. Además, nos da el beneficio de restablecer el equilibrio ácido/alcalino en el organismo y favorece la digestión.
- Jugo de toronja.
- Jugo de zanahoria, apio y betabel.
- Jugo de zanahoria, brócoli y germinado de alfalfa. Además, proporciona el beneficio de evitar el exceso de peso.
- Jugo de zanahoria, brócoli y pepino. Además, ofrece el beneficio de prevenir trastornos desencadenados por el estrés.

- Jugo de zanahoria, berro y pepino. Además, contribuye a regular la evacuación y prevenir la acumulación de toxinas.
- Jugo de zanahoria y ajo.
- Jugo de zanahoria y apio. Además, tiene el beneficio de mantener la piel hermosa y la deja libre de impurezas.
- Jugo de zanahoria y berros.

Por la tarde es conveniente repetir cualquiera de los jugos anteriores, o bien tomar cualquiera de los siguientes licuados:

- Licuado de alfalfa.
- Licuado de zanahoria y espinaca.
- Licuado de limón, miel y espinaca.

TERAPIA NUTRICIONAL

Es una terapia de la medicina ortomolecular dirigida a una amplia gama de padecimientos como la depresión, trastornos fisiológicos y mentales, haciendo posible obtener una pronta recuperación —en periodos de un año. Esto es posible con del uso de vitaminas, minerales y aminoácidos para crear un equilibrio nutricional en el cuerpo. Cuando existe desnutrición o nutrición inadecuada la persona se encuentra en grave peligro, ya sea como causa o como un factor involucrado en el desarrollo de la enfermedad, incluido el acné. Respecto al tratamiento del acné algunos médicos ortomoleculares recomiendan nutrientes capaces de estabilizar la salud de la piel y de los demás órganos internos que conforman el cuerpo humano. Sin embargo debe complementarse con una dieta saludable, rica en alimentos nutritivos, integrales y bajos en grasas, eliminando los alimentos chatarra, el azúcar y demás aditivos de los alimentos procesados y refinados.

Con frecuencia la suplementación se hace partiendo del síntoma y de los resultados reportados en la entrevista médica. Ocasionalmente se inyecta la dosis prescrita de nutrientes a fin de acelerar la respuesta inicial, y el tratamiento subsecuente usualmente es con píldoras administradas varias veces al día hasta lograr la dosis adecuada.

- **Acidophilus:** se puede tomar cada día con la comida (yoghurt). Su efecto mantiene limpio el intestino, alivia el estreñimiento, restablece el funcionamiento del colon, trata el acné y algunos otros trastornos cutáneos. Sus fuentes abundantes son el yoghurt, la leche búlgara y los encapsulados.

- **Acidos grasos:** especialmente del tipo omega 3 y 6. Sus efectos reducen la inflamación. Sus fuentes abundantes son el aceite de pescado y los pescados como la caballa, sardinas y salmón.

- **Betacarotenos:** en dosis de 50 000 UI durante un mes y después se reduce a 25 000 UI. Su efecto previene del ataque de los radicales libres productores de estrés y estimula el sistema inmunitario. Sus fuentes abundantes son las hortalizas de color anaranjado y hojas de color verde como la zanahoria, albaricoque, col, espinaca, toronja, mango, lechuga y brócoli.

- **Levadura de cerveza:** seis tabletas en cada comida, o una cucharadita en polvo. Su efecto regula los niveles de azúcar en la sangre y mejora el estado de la piel (en pacientes con deficiencia de vitaminas del complejo B).

- **Selenio:** en dosis de 70 mcg. los hombres y 55 mcg. las mujeres. Su efecto alivia el acné, estimula el sistema inmunitario, mejora el estado de ánimo y previene las bajas concentraciones de la enzima inmunológica glutationperoxidasa. Sus fuentes abundantes son el pescado, los cereales integrales y los champiñones.

- **Vitamina A:** la dosis deberá ser de 50 000 UI durante al menos dos semanas. Su efecto previene y trata los trastornos cutáneos, mejora la capacidad del organismo para sanar en forma natural, promueve el crecimiento de piel, disminuye la producción de sebo y la hiperqueratosis de los folículos sebáceos. Sus fuentes abundantes son las zanahorias, el perejil, la leche, la mantequilla, la yema de huevo y los aceites de pescado.

- **Vitamina C:** la dosis diaria es de hasta 1 500 mg. repartida en tres partes. Su efecto acelera la curación de las lesiones, mantiene sanos los órganos sexuales, fortalece el sistema inmunológico, reduce las infecciones. Sus fuentes abundantes son los cítricos, guayaba y kiwi.

- **Vitamina D:** junto con la vitamina A limpia las glándulas sebáceas y los desechos que congestionan y bloquean los poros en la piel. Sus fuentes abundantes son el aceite de pescado y los rayos solares.

- **Vitaminas del complejo B:** como la piridoxina (vitamina B6) y Tiamina (vitamina B1) la dosis debe ser dos a tres veces al día. Sus efectos alivian la infección, refuerzan el sistema inmunológico, previene trastornos cutáneos y nerviosos. Sus fuentes abundantes son la levadura de cerveza, salvado, germen de trigo, copos de avena, nueces, carne, leche y pescado.

- **Vitamina E:** de 1 000 a 800 UI después del desayuno. Su efecto reduce el ataque de los radicales libres, regula los niveles de vitamina A. Sus fuentes abundantes son el huevo, aceites vegetales como el de soya, maíz, cártamo y girasol.

- **Zinc:** en dosis de 80 mg. diarios (a menos que existan náuseas por lo cual es necesaria dosis de sólo 20 mg.). Su efecto trata el acné y otros problemas cutáneos, estimula las funciones del sistema inmunitario. Sus fuentes abundantes son los champiñones, col, cebada, maíz y lechuga.

De acuerdo con la indicación del médico especialista deben consumirse los nutrientes durante no más de 30 días, suspenderlos durante 30 días y retomarlos por 30 días más de tratamiento.

AROMATERAPIA

La aromaterapia es una rama que corresponde a la fitoterapia, y se refiere al uso de los aromas con el fin de mejorar y tratar diversas enfermedades. Su utilidad es también importante en la prevención y conservación de la salud y la belleza, y dado que la belleza exterior siempre depende de la salud física y del equilibrio emocional, la aromaterapia es una vía suave y natural para mantener la unidad entre el cuerpo, la mente y el alma, sobre todo cuando se utiliza diario.

A diferencia de la fitoterapia, los aceites no se ingieren, sino que se utilizan en inhalaciones o para masajes en la piel, y aunque dé miedo usar un aceite en una piel grasa, es necesario indicar que los aceites esenciales en realidad son moléculas de terpenos, fenoles y alcoholes que se absorben rápidamente. Así, específicamente en el caso del acné ciertos aceites pueden ser de gran utilidad para favorecer el equilibrio y reducir la actividad de las glándulas sebáceas, así como mantener controladas las bacterias, ejercer un efecto sobre las glándulas corrigiendo los desequilibrios hormonales y contribuyendo a que la piel se comporte como si fuera normal. Entonces, por las potentes propiedades de los siguientes aceites esenciales, es posible aplicarlos diario, sin diluir, en las espinillas y pústulas con ayuda de un algodón. O bien pueden mezclarse con un aceite conductor como aceite de almendras o jojoba para una mejor absorción.

Aceites esenciales

- **Alangilán:** tonifica el sistema nervioso, reequilibra la producción de sebo en la piel grasa, el acné y el cuero cabelludo.

- **Árbol de té:** mata las bacterias, trata el acné, impulsa la cicatrización y controla la infección.

- **Caléndula:** calma, reduce la inflamación, mata las bacterias y sana las lesiones.

- **Cedro:** mata las bacterias, reduce el sebo y ayuda a cicatrizar las heridas, trata el acné, las erupciones en la piel grasa y relaja el sistema nervioso.

- **Bergamota:** combate los microbios, trata el acné y la piel grasa.

- **Ciprés:** refresca y relaja los nervios sobreexcitados.

- **Enebro:** trata los problemas cutáneos como el acné, mata los microbios y desinfecta.

- **Eucalipto:** alivia los trastornos de la piel.

- **Gálbano:** favorece la cicatrización y trata los problemas de la piel.

- **Geranio:** protege la piel, trata el acné, favorece la cicatrización de las heridas, desinfecta, tranquiliza y mejora el estado de ánimo.

- **Lavanda:** equilibra las emociones, desinfecta, calma las lesiones, calma el estrés, trata el acné y otros problemas de la piel.

- **Lima:** mejora la piel grasa y el acné, mata las bacterias, desinfecta y fortalece el sistema inmunológico.

- **Limón:** mata las bacterias, aumenta las defensas y trata la mala circulación, el acné, la piel grasa o con impurezas.

- **Manzanilla:** favorece la cicatrización, desinfecta, trata los problemas de la piel y alivia la inflamación del acné.

- **Melisa:** trata la depresión y la ansiedad nerviosa.

- **Mirra:** desinfecta, reduce la inflamación, trata el acné y la dermatitis.

- **Neroli:** trata la depresión y la ansiedad nerviosa.

- **Pachulí:** desinfecta, reduce la inflamación e infección, trata el acné y las reacciones alérgicas.

- **Romero:** alivia los trastornos relacionados con el estrés, trata el acné y mata las bacterias.

- **Rosa:** mata las bacterias, limpia la sangre, alivia la depresión y problemas gastrointestinales, calma los trastornos cutáneos e infecciones de la piel.

- **Sándalo:** calma la depresión, alivia el acné, infecciones cutáneas y protege contra la resequedad de la piel.

- **Tomillo:** desinfecta, alivia la infección del acné, estimula el sistema inmunológico y mitiga el estrés.

- **Toronja:** trata el acné y los poros congestionados.

Remedios antiacné

Antes de aplicar cualquier remedio de aceite esencial es primordial aplicar una compresa humedecida en agua hirviendo, escurrir y dejar enfriar un poco para no quemar la piel.

- Aplicar masajes con una mezcla de tres gotas de aceites de bergamota, alcanfor, geranio americano, enebro, lavanda y neroli contra el acné.
- Aplicar aceite preparado con tres gotas de aceite de árbol de té, bergamota y lavanda y dos cucharaditas de aceite de jojoba para reducir la piel inflamada y propensa al acné.
- Lavar la piel afectada con dos gotas de aceite de lavanda, enebro y cayuputi, aplicar después una loción de lavanda para controlar el acné.
- Aplicar directamente en la zona afectada aceite de lavanda o alcanfor o eucalipto con ayuda de un algodón para combatir la infección.
- Mezclar dos gotas de aceite de manzanilla en dos cdas. de aceite de soya y aplicar en la cara para ayudar a desinflamar el acné.

- Aplicar una mezcla de 2 gotas de aceite de mirra y 2 cdas. de aceite de soya para tratar el acné.
- Mezclar dos gotas de aceite de pachulí con dos cdas. de aceite de almendras para controlar el acné.
- Aplicar aceite de almendras y aceite de lavanda o romero y aplicar realizando un masaje suave con las manos en la cara y cuerpo.
- Aplicar cada noche un masaje con un aceite regulador de la secreción de grasa preparado con 15 gotas de aceite de limón, 13 gotas de aceite de ciprés y 50 ml. de aceite vegetal. Dejar actuar 10 minutos y retirar con un pañuelo efectuando una suave presión.
- Mezclar una gota de aceite de enebro y geranio en dos cdas. de aceite de jojoba, aplicar en la cara con un masaje, una vez absorbida la primera aplicación, volver a aplicar otra.

REMEDIOS FLORALES

Es una terapia que se basa en la fuerza vibracional de las flores a través del uso esencial de flores o remedios florales para armonizar el cuerpo, el alma y el espíritu. Alivian los sentimientos negativos que acarrean la enfermedad (las emociones negativas deprimen la mente y el sistema inmunológico, reducen la actividad y contribuyen a enfermedades, entre ellas la depresión por el acné) e impulsan el proceso curativo y el equilibrio de la energía psíquica y emotiva del cuerpo. En ocasiones los remedios florales son llamados esenciales, sin embargo no es posible confundirlos con los aceites esenciales que actúan casi similarmente, pero que no son los mismos, por lo cual es mejor buscarlos bajo el nombre de remedios florales de Bach. En casos agudos el efecto es rápido, sin embargo cuando el estado es crónico los resultados se notan hasta algunos meses después de su uso.

En el caso del acné, se emplearán los remedios florales para contrarrestar los efectos emocionales negativos que esta enfermedad provoca en la persona.

Remedios florales

Las dosis son cuatro gotas sobre o bajo la lengua, cuatro veces al día. En momento de crisis se disuelven 2 gotas en un vaso de agua y se toma. En algunos casos es suficiente sólo un remedio, pero en la mayoría de las personas se deben combinar dos o más remedios.

- **Agua de roca:** para la persona dura consigo misma y que exige perfección.

- **Alerce:** para quien siente falta de confianza o escasa autoestima.

- **Auluga:** para fortalecer a las personas que han perdido la esperanza de curarse.

- **Avena:** para ayudar a controlar los problemas anímicos.

- **Castaño dulce:** para la desesperanza total.

- **Nogal:** para ayudar a controlar los problemas anímicos.

- **Manzana:** para contrarrestar los sentimientos de vergüenza.

- **Mostaza:** para la depresión, para quien siente que está bajo una nube de pesimismo.

- **Nogal:** para cambiar, romper los vínculos y que la vida pueda desarrollarse.

Los remedios no deben tomarse sin pensar y sin el cuidado apropiado, para evitar lo anterior es mejor escribir una lista que le haga reflexionar sobre las necesidades y los efectos deseados de las flores, esto también ayuda a mejorar la visión que se tiene sobre el problema a tratar.

FITOTERAPIA

Desde las primeras culturas, las plantas han sido utilizadas en la curación y prevención de enfermedades, debido a sus poderes o virtudes curativas. Están compuestas principalmente por alcaloides, glucósidos, saponinas, principios amargos, taninos, sustancias aromáticas, aceites esenciales, aceites grasos, glocoquininas, mucilagos, antisépticos y hormonas vegetales, lo cual les permite actuar sobre la piel, desinflamar, drenar tejidos, estimular el apetito, disminuir la fermentación intestinal, prevenir las infecciones, tranquilizar el sistema nervioso, etc., mucho de lo cual es necesario para tratar enfermedades como el acné.

Para aprovechar los principios y beneficios de las plantas es posible prepararlas en remedios de uso interno y externo, como tisanas, extractos, maceraciones, infusiones, decocciones, tinturas, vinagres aromáticos, linimentos, aguas aromáticas, inhalaciones, supositorios, ungüentos, baños, compresas y cataplasmas, entre otros. En el caso del acné, muchas de las plantas también son de apoyo nutricional por su rico contenido en sales minerales, como el diente de león que contiene aceite esencial, sales minerales, clorofila, provitamina A, vitamina B y C.

Específicamente para preparar una infusión se diluye una cucharada de la planta en un litro de agua, se deja reposar y se cuela. Con algunas infusiones es posible realizar lavados para combatir la infección y mitigar la inflamación. En caso de tomar la infusión, ésta debe consumirse sólo durante un mes y sustituirla por otra que produzca el mismo efecto que la anterior, a fin de favorecer la curación.

- **Abedul:** trata el acné y demás trastornos cutáneos. Preparar un cocimiento, retirar la corteza y aplicar en forma de cataplasma sobre la zona afectada.

- **Amaranto:** trata el acné y demás problemas cutáneos. Aplicar lavados con el cocimiento.

- **Avena:** alivia el acné y los trastornos cutáneos, no altera los valores de acidez y la elasticidad de la piel.

- **Bardana:** (lampazo) regula la producción de sebo, combate la infección del acné, limpia la sangre, limpia el sistema linfático, alivia problemas cutáneos persistentes como el acné. Tomar 2 tazas de infusión en ayunas o también lavar con infusión la parte afectada con frecuencia.

- **Consuelda:** favorece la cicatrización y el crecimiento de tejido nuevo y sano. Aplicar en lavado facial.

- **Cúrcuma:** elimina el acné y los trastornos cutáneos. Se aplica en cataplasma de rizoma.

- **Diente de león:** calma las inflamaciones de la piel, alivia el acné, embellece y vigoriza la piel, mejora y estimula la digestión, desintoxica el hígado, los riñones y la sangre, calma los trastornos de la menopausia y aminora la depresión y el estrés. Preparar la infusión con raíz contra el acné y las manchas de la piel.

- **Equinácea:** mata las bacterias, estimula el sistema inmunitario, trata acné e infecciones persistentes.

- **Judía verde:** trata el acné. Lavar la cara con la infusión por la mañana, al mediodía y por la noche.

- **Limón:** purifica la sangre, favorece la circulación y trata el acné.

- **Pensamiento:** trata las erupciones de la piel y el acné, evita que se infecten los poros. Tomar en infusión o preparar en cataplasma.

- **Pigeum:** previene los desbalances de andrógenos y la sobreestimulación de las glándulas sebáceas. Es necesario administrarla bajo control médico.

- **Sabal:** previene los desbalances de andrógenos y la sobreestimulación de las glándulas sebáceas. Es necesario administrarla bajo control médico.

- **Sábila:** calma las lesiones del acné y mata las bacterias. Aplicar el gel directamente.

- **Saponaria:** actúa contra el acné.

- **Saúco:** desaparece la inflamación del acné.

- **Serpol:** evita que se infecten los poros.

- **Vid:** actúa contra el acné.

Tinturas antiacné

- **Alholvas:** alivia los trastornos cutáneos. Disolver en un vaso con agua de 10 a 20 gotas e ingiera tres veces al día.

- **Arándano:** limpia el organismo, trata el acné, activa y fortalece la circulación. Disolver en un vaso con agua 20 gotas e ingiera tres veces al día.

- **Avena:** trata el nerviosismo, estrés, insomnio y trastornos de la piel. Disolver en un vaso con agua de 10 a 20 gotas e ingiera tres veces al día.

- **Azahar:** trata el nerviosismo, ansiedad, estrés y trastornos de origen nervioso. Disolver en un vaso con agua de 10 a 30 gotas e ingiera tres veces al día.

- **Bardana:** limpia el organismo, trata los trastornos de la piel, mata las bacterias. Disolver en un vaso con agua de 10 a 30 gotas e ingiera tres veces al día.

- **Caléndula:** calma el estrés, reduce la inflamación, desinfecta y cicatriza las lesiones. Disolver en un vaso con agua de 10 a 20 gotas e ingiera tres veces al día.

- **Castaño de indias:** activa la circulación, reduce la inflamación, favorece la cicatrización, trata la obesidad y los trastornos de la menopausia. Disolver en un vaso con agua de 10 a 20 gotas e ingiera tres veces al día.

- **Cola de caballo:** remineraliza el organismo y favorece la cicatrización. Disolver en un vaso con agua de 10 a 30 gotas e ingiera tres veces al día.

- **Eleuterococo:** trata el estrés y el nerviosismo. Disolver en un vaso con agua de 10 a 30 gotas e ingiera tres veces al día.

- **Equinácea:** favorece la cicatrización, reduce la inflamación y estimula las funciones del sistema inmunitario. Disolver en un vaso con agua de 10 a 30 gotas e ingiera tres veces al día.

- **Lirio azul:** desintoxica la piel. Disolver en un vaso con agua de 10 a 20 gotas e ingiera tres veces al día.

- **Ruibarbo:** trata el acné y demás trastornos cutáneos. Disolver en un vaso con agua de 10 a 20 gotas e ingiera tres veces al día.

- **Ulmaria:** alivia los trastornos de la piel. Disolver en un vaso con agua de 10 a 20 gotas e ingiera tres veces al día.

Preparaciones especiales antiacné

- Combinar tinturas de zarzaparrilla, bardana mayor y presera en partes iguales, tomar 1/2 cucharadita de la mezcla tres veces al día contra el acné.
- Tomar una infusión de ortiga dos o tres veces al día contra el acné.
- Preparar una infusión con flores de diente de león para limpiar la piel y prevenir las manchas, aplicar con un algodón.
- Preparar infusión de caléndula y mezclar en partes iguales con hamamelis destilado y aplicar externamente como lavado contra el acné y las lesiones o quistes.
- Realizar una vaporización en el rostro con el cocimiento de hierbas de fresa, lavanda y hojas de trébol rojo de los prados para limpiar los poros de la cara. Enseguida extraer con ayuda de un algodón la grasa y después aplicar agua oxigenada para evitar la infección.

- Preparar una infusión con equinácea, diente de león y cardo mariano para limpiar el organismo.
- Lavar la piel con jabón de caléndula para mantener la cara limpia y minimizar la formación de quistes y lesiones mayores.
- Realizar una vaporización con infusión de diente de león para relajar y limpiar la piel, aplicar durante cinco minutos, enjuagarse con agua fría y secarse con una toalla seca.
- Preparar una infusión con toronjil, avena y corazoncillo para ayudar a limpiar el hígado y reducir la depresión.
- Limpiar la cara por la mañana y noche con clorofila líquida, emulsión de vitaminas A-E, pimienta de cayena y gel de sábila o vinagre de sidra.
- Preparar una infusión con bardana, grama de las boticas, zarzaparrilla y diente de león, dejar hervir 15 minutos, retirar del fuego y colar, tomar una taza en ayunas y otra por la tarde.
- Limpiar tres veces al día la piel de la cara con té de alfalfa, raíz de bardana mayor, pimienta de cayena, equinácea púrpura y vinagre de sidra.
- Preparar una infusión de diente de león e hinojo para prevenir el daño por ingestión de grasas.
- Vaporizaciones durante 15 minutos con infusión de caléndula, saúco y álsine para calmar y controlar la infección.
- Prepara una infusión de pie de león, milenrama, bolsa de pastor, caléndula, valeriana y melisa, dejar reposar durante 15 minutos, tomar dos tazas al día.
- Vaporizaciones durante 15 minutos con infusión de manzanilla y tila para reducir la inflamación del

acné. Al final aplicar una loción tonificante para cerrar los poros.

- Sorber tres veces al día infusión de equinácea, amor de hortelano y raíz de bardana para limpiar el organismo y combatir la infección de los quistes.
- Aplicar masaje con ungüento de consuelda en todas las cicatrices antiguas para ayudar a aminorarlas.
- Preparar una infusión de diente de león y amor de hortelano para mejorar la función linfática.
- Aplicar en la cara infusión de albahaca con ayuda de una torunda de algodón sobre la piel recién lavada para ayudar a controlar el acné.
- Aplicar externamente pasta preparada con una cucharadita de cúrcuma y sándalo y agua suficiente para amasar contra el acné.
- Tomar 1/2 taza de jugo de sábila diariamente hasta que desaparezca el acné.
- Lavar con decocción de sándalo para tratar el acné, la piel seca y demás problemas cutáneos de origen bacteriano.
- Mezclar 50 g de raíces de diente de león, 15 g de raíces de grama de la botica, 20 g de raíces de lampazo, 5 g de regaliz y 5 g de raíces de genciana, cocer en un litro de agua durante 20 minutos y dejar reposar durante 15 minutos, colar y tomar una taza al día entre comidas para combatir el acné.
- Preparar una infusión de espliego, colar, tomar una taza en ayunas durante quince días para combatir el acné.
- Tomar una infusión de romero antes de irse a acostar por la noche contrarresta el acné.

- Preparar una infusión con hojas y flores de trinitaria, colar y tomar una taza por la mañana en ayunas, hacer ésto durante 15 días controla el acné.
- Lavar la piel con tintura de mercadela disuelta en un vaso de agua tibia para combatir la infección y la inflamación.
- Preparar una infusión de ortiga, candelaria y diente de león para aliviar las alergias y calmar la inflamación.
- Lavar la piel de la cara con infusión de saúco, milenrama y lavanda para combatir la infección y la inflamación.
- Preparar una decocción de diente de león, regaliz y malvavisco para calmar la inflamación y fortalecer el sistema inmunitario.
- Lavar la cara cada tres horas con infusión preparada con manzanilla y judías verdes contra el acné crónico y las manchas. Complementar bebiendo una taza a diario de esta misma infusión.
- El cocimiento de la cáscara de piña limpia la sangre y alivia inflamaciones.
- Preparar una infusión con alcachofa, bardana, y altea para tratar el acné.
- Preparar una decocción con raíces de diente de león, bardana, acelga y uva para aclarar las manchas del acné.

FITOTERAPIA CHINA

Es un sistema terapéutico muy antiguo de la medicina china, que se complementa con la acupuntura. En este sistema las enfermedades son causadas por el Viento, el Calor, la Humedad o el Frío, se basa en la filosofía de que la persona se encuentra "en armonía" o "en desarmonía" consigo misma y su entorno, así ve la enfermedad en términos de estados desarmónicos y por ello es necesario restaurar el equilibrio en las personas enfermas. Casi todos los remedios son partes de plantas, hojas, flores, frutos, raíces, cortezas y hongos, aunque también incluye partes de animales, por lo anterior es que los remedios deben ser prescritos por un fitoterapeuta.

Fuentes de remedios

- El tratamiento para despejar el exceso de calor en la sangre y el estómago incluyen diente de león, crisantemo, madreselva y jugo de pepino y sandía aplicado externamente.
- Remedios como Cai Feng Zhen Zhu, Jin Yin Hua y Chuang Wan son excelentes remedios para tratar el acné ya que despejan el calor, mitigan la toxicidad, actúan contra bacterias patógenas y reduce hinchazones dolorosas y calientes.

TRABAJO CORPORAL

Se refiere a las terapias que se basan en el concepto de la energía vital o *qi*, tales como el masaje, la acupresión, el *shiatsu* y la reflexología o bien un masaje linfático, con el fin de mejorar la estructura y el funcionamiento del cuerpo y al mismo tiempo ayudar a disminuir el dolor, calmar los músculos lesionados, estimular la circulación linfática y sanguínea y promover la relajación profunda, calmar el sistema nervioso, ayudar a eliminar el tejido cicatricial, reducir la inflamación, estimular la circulación, aumentar la eliminación de desechos, todo ello indispensable en el tratamiento del acné.

- En el caso de la reflexología —especialmente— aplicar para todas las glándulas suprarrenales, el hígado, los riñones, los intestinos, la tiroides y el diafragma.
- Para el *shiatsu* aplicar masaje en los brazos, manos, rostro, base del cráneo y tórax para aliviar el acné, estimular la circulación, disminuir la tensión muscular, ajustar los niveles hormonales y fortalecer el sistema inmunológico.

TÉCNICAS DE RELAJACIÓN

Estas técnicas utilizan disciplinas del cuerpo y del espíritu como enseñanza de nuevas formas de manejo de la tensión muscular, la respiración, la alimentación, el control del pensamiento, el autocontrol y el uso del tiempo libre, con el fin de eliminar el estrés (causante de brotes de acné) y lograr el equilibrio físico y mental, que en la mayoría de los casos de enfermedad es lo que menos se toma en cuenta.

Reductores de acné

- **Meditación:** sentarse con las piernas cruzadas en el piso, cerrar los ojos, respirar lenta y profundamente. Inhalar y mantener el aire unos segundos antes de exhalar, repetir la secuencia dos veces más, ahora visualizar un lugar tranquilo y cálido, percibir la energía y la belleza que irradia el panorama; continuar respirando profundamente, permanecer durante cinco minutos más. Retornar a la respiración normal poco a poco y abrir los ojos; no levantarse inmediatamente, sino disfrutar de la calidez que invade el interior.

- **Relajación muscular:** recostarse boca arriba y tensar todos los músculos gradualmente comenzando desde la cabeza hasta los pies, mantener la tensión 10 segundos en cada parte del cuerpo y relajarse. Repetir la secuencia dos veces más, enseguida doblar las piernas hasta colocar los pies en línea con las rodillas, percibir cómo la columna y la cadera se estiran y relajan suave y cómodamente; mantener la posición unos segundos y volver a la posición inicial.

Practicar cualquiera de los ejercicios especialmente por la mañana a fin de comenzar el día con serenidad.

Existen otras técnicas más sofisticadas de reducción del estrés tal como la biorretroalimentación que enseña a las personas a relajarse, controlar los latidos del corazón, la respiración, la tensión muscular y las ondas cerebrales, y que en el caso del acné logra una reducción de los brotes en casos severos.

Otros reductores de la tensión y ansiedad

- Contar con amigos que ofrezcan un apoyo sincero en caso de crisis.

- Escuchar música relajada para ayudar a incrementar el volumen de sangre, estabilizar el ritmo cardiaco, reducir la presión arterial y eliminar el estrés.
- Practicar ejercicio ligero y habitualmente para reducir la ansiedad y tensión muscular.
- Practicar métodos de respiración profunda y combinar con alguna oración para eliminar el estrés.

TÉCNICAS RESPIRATORIAS

La respiración pertenece a un estado fisiológico inconsciente que permite la vida, sin embargo debido a que no existe plena conciencia de ello, pocos son los beneficios que de ella se obtienen, llevando a padecer un sinnúmero de enfermedades y deficiencias nutricionales en el suministro del tan vital oxígeno, necesario a nivel cerebral y circulatorio, pero además la respiración es un medio de defensa, por todos los gases tóxicos del medio ambiente. Y como la respiración profunda es un tranquilizante resulta ser el mejor aliado para eliminar la tensión nerviosa y el estrés que causa enfermedades como el acné.

Ejercicio de respiración

- El mecanismo de respiración debe iniciar en el abdomen y dirigirse hacia arriba, este movimiento debe ser profundo y sostenido, debe practicarse al menos 10 minutos, tres veces al día.
- Disminuya conscientemente la respiración, inhale y exhale profunda y lentamente, visualice cómo

una nueva energía penetra e invade el interior eliminando todas las tensiones y enfermedades mientras continúa controlando la respiración. Deténgase un momento y haga una respiración lo más profunda posible y retorne poco a poco hasta respirar como habitualmente lo hace.

HIDROTERAPIA

Los efectos curativos del agua han sido aprovechados desde hace miles de años, por algo es llamada la sangre de la naturaleza. Algunos de sus beneficios directos actúan sobre el sistema circulatorio, térmico, nervioso, digestivo, muscular y metabólico necesarios para prevenir y curar enfermedades, entre ellas el acné. Los efectos curativos del agua se obtienen utilizándola por vía externa o cutánea, interna o ingerida, sus formas pueden ser fría, caliente o combinada.

- **Aplicaciones de contraste:** póngalo en práctica diariamente. Inicie con agua caliente, continúe con fría, nuevamente con caliente y termine con fría.

- **Baños con sales de Epsom:** aplicar dos o tres veces por semana.

- **Baños con agua de mar:** al terminar aplicar ungüento de caléndula para aliviar los brotes de acné.

- **Baño de asiento a temperatura alterna:** descongestiona los órganos de la cavidad abdominal, seda el sistema nervioso, desintoxica y limpia el organismo. En una tina que pueda cubrir con agua el vientre y la parte superior de los muslos y mantener las piernas fuera del agua, inicie su baño con agua caliente y continúe con agua fría, al terminar aplique masajes con una toalla áspera del ombligo hacia abajo y de izquierda a derecha. Aplique el agua caliente 15 segundos y durante 10 segundos el agua fría, tres veces por semana.

- **Baño de vapor:** protege el organismo, favorece el aprovechamiento de los nutrientes, calienta la sangre, activa los mecanismos de defensa, permite que circulen todos los elementos de desecho, lava la sangre, restablece la actividad cutánea. Al salir tome un baño de agua fría y relájese hasta recuperar la temperatura normal, no aplique este baño por lo menos tres horas después de haber ingerido alimentos.

- **Baño de vapor de la cabeza**: aumenta la irrigación sanguínea, alivia trastornos cutáneos, como el acné. Prepare una infusión de manzanilla, cubra la cabeza con una manta para que no escape el vapor, permanezca así durante 20 minutos, al terminar lave con agua fría para cerrar los poros o aplique una fricción con una toalla áspera y humedecida en agua fría.

- **Baño vital:** corrige alteraciones circulatorias, alteraciones nerviosas, enfermedades digestivas, expulsa toxinas y elementos patógenos, ayuda a recuperar el equilibrio en el funcionamiento de los sistemas y los órganos que forman el cuerpo, descongestiona los órganos. Cúbrase con una manta y utilice una toalla húmeda en agua fría, aplique un masaje del ombligo hacia abajo, hasta el pubis de arriba hacia abajo, de derecha a izquierda, lateral y en forma circular, repita constantemente hasta completar un cierto tiempo, al terminar séquese. Aplique en ayunas o tres horas después de haber comido, no tomar ningún alimento después del baño. La duración es de 15 a 20 minutos, al menos dos veces al día.

- **Baño de vapor embellecedor:** prepare una infusión de saúco y equinácea, deje reposar 15 minutos, remueva con cuidado y exponga el rostro, cubriendo la cabeza con una toalla.

- **Compresa:** remoje con infusión de hidrastia y aplique sobre la zona afectada para aliviar el acné.

- **Compresa astringente:** prepare una infusión de tomillo, deje reposar 5 minutos y agregue el jugo de 1/2 limón, remoje una gasa y escurra, aplique durante cinco minutos para tratar el acné.

- **Compresa especial:** prepare una infusión de milenrama y aplique en el área afectada durante 20 minutos, al final aplique una compresa fría.

- **Frotaciones:** aplique en la piel suavemente con una esponja humedecida en agua fría.

Para aumentar los efectos terapéuticos de los baños es conveniente que agregue algunas hierbas o aceites y minerales como:

- **Árbol del té:** para mejorar la función de la piel, eliminar y prevenir las infecciones.
- **Avena:** para calmar, revestir y restablecer la piel.
- **Bicarbonato:** para aliviar la irritación de la piel, eliminar y prevenir las infecciones ligeras.
- **Manzanilla:** para calmar la piel, abrir los poros y eliminar los puntos negros.
- **Salvia:** para estimular las glándulas sudoríparas.

HELIOTERAPIA

Desde hace años se tiene conocimiento de las virtudes curativas de los rayos solares, no en vano los griegos y romanos antiguos poseían un solarium para aplicar tratamientos con la luz del sol. Los rayos solares estimulan las funciones de los órganos y sistemas del cuerpo, desde el circulatorio hasta la piel, pasando por los nervios, lo cual obviamente permite la eliminación y prevención de enfermedades, además de la expulsión de elementos de desechos y toxinas albergadas en el interior del organismo, del equilibrio de las funciones de las glándulas como las suprarrenales, del funcionamiento del proceso metabólico, del fortalecimiento en la producción de defensas del organismo, de la cicatrización de las lesiones, de la acción desinflamante, de la reducción del número de bacterias malas, de bajar de peso, del equilibrio en las hormonas sexuales y de la piel tersa y resistente. Todo lo cual es útil en el tratamiento del acné.

- **Baño general o total:** exponer el cuerpo al sol y el aire, al menos cinco minutos, pero evitando las quemaduras solares, por lo cual el horario de aplicación será entre las 8 y las 11 a.m. Después del baño aplicar frotaciones vigorosas con un paño húmedo comenzando desde los pies hasta terminar en la cara.

NOTA: No practique esta terapia cuando consuma algún fármaco porque hay antibióticos que pueden actuar como agentes tóxicos en presencia del sol. Algunos otros que inducen la exfoliación y sequedad de la piel, pueden dejar la dermis sumamente frágil y desprotegida ante los rayos del sol y por ende producir quemaduras graves —incluso cáncer—, otros medicamentos indicados para combatir ciertas enfermedades pueden dar origen a un proceso paralelo de acné medicamentoso.

GEOTERAPIA

La tierra es un elemento de curación conocido desde épocas remotas, debido a sus propiedades regeneradoras, refrescantes, antiinflamatorias, antisépticas, desodorizantes, antibióticas, descongestionantes, purificantes, cicatrizantes y calmantes que permiten el alivio de trastornos cutáneos como el acné y eczema, pero además restablece el equilibrio corporal, glandular y celular.

- **Mascarilla de barro:** amasar con agua destilada o infusión de manzanilla, aplicar en la cara dejando una capa liviana, no muy gruesa, dejar por quince a veinte minutos, enjuagar con agua tibia y retirar el sobrante con un paño humedecido.

EJERCICIO

El ejercicio es un método muy eficaz para aumentar la circulación en el organismo, pero sobre todo para estimular las funciones del cerebro, el hígado, los riñones, las glándulas, los músculos y los pulmones, lo cual favorece las funciones de los sistemas excretores y la eliminación de toxinas albergadas en el cuerpo, así como el aumento de la oxigenación de la sangre, la eliminación de los estados de estrés, la limpieza de la piel, la eliminación de las células muertas, la limpieza de los poros y la oxigenación correcta de este órgano.

Los ejercicios más recomendables son la caminata, salto en cuerda, natación, yoga, gimnasia y cualquier otro ejercicio que estimule la correcta circulación y oxigenación del organismo.

CEPILLADO DE LA PIEL

La piel es un órgano que cambia casi en su totalidad de células externas cada 48 horas, posee millones de poros por los cuales se eliminan al menos 1/2 kilogramo de materiales de desecho, entre los que se encuentran el sudor y el sebo cutáneo, por eso se considera un órgano de eliminación y requiere que lo mantengamos limpio. La piel también realiza funciones de nutrición, al ser expuesta al sol obtiene vitamina B, indispensable para la captación y fijación de minerales como el calcio, pero sobre todo del mantenimiento de las funciones protectoras de la piel.

Método de cepillado

- **Cepillado en seco:** estimula la vaso constricción y la vasodilatación, permite la expulsión de elementos que taponan la piel, permite la penetración de nutrientes, proporciona elasticidad, limpia y elimina células muertas que no se desechan por sí mismas, estimula el funcionamiento y la regeneración de las células, permite el buen funcionamiento de los poros, lubrica y estimula el funcionamiento de las glándulas y terminaciones nerviosas, aumenta la resistencia al polvo, sol, viento y lluvia.

  Aplique con un cepillo de cerdas naturales —remojado dosdías antes de usarlo, lavarlo cada semana y dejarlo al sol por lo menos dos horas—, inicie el cepillado desde los pies hacia arriba, hasta llegar a la cintura, efectúe movimientos circulares de abajo hacia arriba, de derecha a izquierda, y de la cabeza hacia abajo continuando con los mismos movimientos, hasta cubrir todo el cuerpo incluyendo la parte posterior, en la cara debe ser cuidadosamente aplicado pero no por ello desigual. La duración del cepillado varía de 10 a 12 minutos. Después de cepillarse la piel es necesario que se dé un baño con agua caliente (tres minutos), fría (un minuto), caliente (tres minutos) y fría (un minuto), hasta completar ocho minutos. Enseguida frotar el cuerpo vigorosamente con una toalla para estimular la circulación y el sistema linfático.

En caso de no contar con cepillo, frótese con una manopla guante de masaje seco o una toalla. Para un óptimo resultado extienda la espalda, el pecho y los brazos, así estimulará la circulación y el pronto alivio del acné en estas zonas.

TRATAMIENTO DE BELLEZA

Y aunque se piense que el acné no es un problema cosmético, y que no tiene relación con la higiene, sí es necesario ayudar a la piel a mantenerla libre de grasa que es un adhesivo para el polvo y la mugre, lo que a su vez permite que la piel no respire y se suscite la acumulación de desechos tóxicos en los poros, por lo cual es necesario actuar con medios idóneos que permitan la limpieza y tonificación profunda de la piel.

Y para lograr lo anterior, una buena manera de comenzar es lavar la piel con jabón de pH neutro o ácido y agua caliente, aclarar con agua fría, o usar agua mineral o destilada y enseguida utilizar cualquiera de las siguientes recetas. Para lograr eliminar las impurezas del día se utilizan las mascarillas por la noche, y a la mañana siguiente los limpiadores.

- **Aceite facial:** mezcle dos cdas. de aceite de soya, dos gotas de aceite de lavanda, una gota de aceite de petitgrain y una gota de aceite de manzanilla, aplique dos veces con ayuda de un algodón para ayudar a combatir el acné.

- **Aclarador de espinillas:** mezcle 1 cdita. de crema de almendras y agua mineral, frote las áreas con las puntas de los dedos, deje secar y enjuague con agua tibia, aplique diariamente.

- **Bolsa limpiadora:** introduzca en un saco de muselina avena y salvado, humedezca en agua tibia y frote suavemente contra la cara, al finalizar la aplicación enjuáguese con vinagre de manzana disuelto en agua.

- **Cataplasma reguladora del sebo:** prepare un cocimiento con bardana, zarzaparrilla, diente de león y grama de las boticas, extraer las hierbas y machacarlas, aplique sobre el rostro a diario sobre una gasa.

- **Crema anticicatrices:** prepare una pomada mezclando manzanas maceradas, agregue aceite de oliva, cereal de trigo y algunas almendras, mezcle perfectamente y aplique en la zona afectada hasta que sane.

- **Crema antimanchas:** abra una hoja de sábila a la mitad, masajee la zona afectada por manchas diario.

- **Compresa antiacné:** prepare una infusión de pensamiento, humedezca una gasa y aplique en la piel por la mañana y la noche durante veinte días.

- **Compresa antiacné 2:** ponga a calentar leche y agregue una cucharada de flores de pensamiento secas, deje reposar durante 15 minutos, cuele en una gasa, y aplique sobre el rostro.

- **Compresa antiespinillas:** prepárela con harina de avena, un poco de miel y una clara de huevo, aplíquela en todo el rostro, deje actuar durante 30 minutos y lave con agua tibia.

- **Compresa cicatrizante:** aplique en el rostro paños humedecidos en infusión de hojas de guayaba diario sobre las áreas dañadas.

- **Eliminador mágico de acné:** parta un ajo a la mitad o una raja de cebolla, aplique el jugo suavemente sobre el brote varias veces al día, eluda los rayos del sol para evitar quemaduras.

- **Eliminador de espinillas:** una vez por semana lave con jabón neutro la cara, seque y aplique paños calientes durante 15 minutos, enseguida aplique un poco de alcohol con la punta de una aguja en la cabeza de la espinilla para después, con ayuda de un pañuelo facial desechable, sacar cada espinilla, pero sin maltratar la piel.

- **Eliminador de manchas:** aplique un masaje suave tantas veces como se pueda con cáscara de naranja sobre las áreas dañadas.

- **Enjuague regenerador celular:** remoje una gasa en jugo de uva, frótela en la piel y déjela durante cinco minutos, enjuague con agua tibia. Este limpiador promueve la limpieza de los poros.

- **Enjuague antiacné:** mezcle jugo de limón y miel, aplique en la piel y deje durante una hora, blanquear con agua tibia.

- **Hidratante natural:** aplique cáscara de papaya sobre la piel de la cara, deje unos minutos y retire con agua tibia.

- **Hidratante antiacné:** aplique con cuidado el jugo lechoso de la papaya verde, evite tocar la piel sana para prevenir irritaciones.

- **Humectante para cutis graso:** mezcle al fuego 2 cdas. de aceite de almendras y cera emulsiva, 1 cda. de lanolina, 1/2 cdita. de bórax, 9 cdas. de agua de rosas, 1 1/2 cdita. de glicerina y 1 cdita de hamamelis, aplique y guarde el resto en un lugar fresco.

- **Humectante para cutis graso 2:** mezcle 2 cdas. de jugo de limón y hamamelis, 4 cdas. de aceite de coco diluido al fuego, aplique sobre la piel y guarde el resto en un lugar fresco.

- **Lavado astringente:** prepare una infusión con hojas de fresa, lave la cara y seque con un paño seco.

- **Limpiador:** mezcle 1/4 de taza de yoghurt natural, 1/4 de taza de infusión de romero y lavanda o cola de caballo y milenrama o frambuesa y consuelda, aplique sobre el rostro con ayuda de un algodón. El líquido restante guárdelo en el refrigerador y úselo al día siguiente.

- **Limpiador y humectante:** mezcle agua de rosas y agua de hamamelis en partes iguales, limpie la piel del rostro.

- **Limpiador antimanchas:** remoje una gasa en jugo de piña y aplíquesela suavemente sobre el área dañada, deje durante 20 minutos y enjuague con agua fría, repita dos veces al día. Esta mascarilla ofrece otro beneficio el de eliminar las células muertas estimulando la regeneración de la piel.

- **Limpiador y refinador de poros:** mezcle agua caliente y alumbre hasta formar una solución, aplique sobre los poros, al secarse retire con agua tibia.

- **Limpieza facial básica:** lave suavemente la cara con agua y jabón de caléndula para ayudar a limpiar la piel sin irritarla de dos a cuatro veces al día. Utilice como alternativas al jabón: leche, jugo de limón diluido, o una solución de una parte de alcohol de 90° en 10 partes de agua. Enjuague la cara con agua tibia (nunca fría o caliente), seque con pequeñas palmadas.

- **Limpiador antiacné:** mezcle a partes iguales jugo de limón y agua de rosas, aplique en la piel del rostro suavemente, deje durante 20 minutos y aclare con agua tibia. Enseguida cierre los poros con una loción astringente.

- **Limpiador antiacné 2:** caliente miel y aplíquela en la piel del rostro suavemente, deje durante 20 minutos y aclare con agua tibia. Enseguida cierre los poros con una loción astringente.

- **Limpiador controlador de grasa:** hierva una penca de sábila en agua y lave la cara con ese cocimiento lo más caliente que se soporte antes de ir a dormir.

- **Loción astringente:** prepare una infusión de tomillo, deje reposar cinco minutos y agregue el jugo de 1/2 limón, limpie la cara dos o tres veces al día para tratar el acné.

- **Mascarilla antiacné:** mezcle cáscara de papaya, pulpa de mango y miel, deje actuar durante 20 minutos, aplique una vez por semana y retire con agua tibia.

- **Mascarilla antiacné 2:** mezcle un poco de azufre con alcohol, aplíquelo sobre la piel limpia, déjelo durante toda la noche, al día siguiente lávese con agua tibia, seque con una toalla seca y dé pequeños golpecitos, enseguida aplique agua de hamamelis o agua oxigenada. No aplique demasiada crema o maquillaje. Úselo durante 15 días máximo.

- **Mascarilla antiacné 3:** mezcle 1 clara de huevo, 1 cda. de azufre, 2 cdas. de arcilla e infusión de consuelda, aplique en la piel, deje actuar 20 minutos, enjuague y tonifique la piel.

- **Mascarilla antigrasa:** aplique yogur natural con las puntas de los dedos en las áreas más grasosas, deje 20 minutos y enjuague con agua tibia, repita tres veces al día.

- **Mascarilla contra cutis graso:** mezcle un poco de azufre y pepino (sin semillas), aplique en la piel limpia, deje actuar durante 20 minutos, enjuague con agua tibia y termine con agua fría, seque con una toalla seca, enseguida aplique agua oxigenada, utilice la mascarilla cada tercer día.

- **Mascarilla correctora:** mezcle una clara de huevo, arcilla e infusión de romero, aplique sobre la piel, deje actuar 20 minutos, enjuague con agua tibia, seque y aplique un humectante.

- **Mascarilla desmanchadora:** lave y machaque unas fresas, aplíquelas en las áreas afectadas, deje 20 minutos y retire con agua tibia. Esta mascarilla también logra eliminar desechos tóxicos y crear una piel radiante.

- **Mascarilla depuradora:** mezcle 1 cda. de arcilla o barro, 2 cdas. de agua de manantial, 1/2 cdita. de miel, 2 gotas de aceite de lavanda y geranio, aplique en el rostro limpio, deje actuar por 20 minutos y retire con agua tibia y una toalla húmeda.

- **Mascarilla de hierbas:** aplique una cataplasma con hierbas de chaparro, raíz de romaza y diente de león, deje durante veinte minutos.

- **Mascarilla exfoliante especial:** mezcle una cucharada de levadura de cerveza, barro, espino en polvo, semillas de almendro en polvo y agua destilada de helicristo, aplique en la piel, deje actuar durante 20 minutos y retírela con agua tibia.

- **Mascarilla limpiadora:** mezcle fresas, yoghurt y harina de avena, aplique y déjela actuar por 30 minutos, retire con agua tibia.

- **Mascarilla mágica:** mezcle polvo para hornear con agua, aplique en la cara y enjuague inmediatamente con agua, después rocíe vinagre de manzana y enjuague al final con agua purificada.

- **Mascarilla nutritiva:** mezcle miel, aceite de germen de trigo y sal de mar en partes iguales, aplique con una brochita, aclare con agua tibia y seque con pequeños golpecitos con una toalla seca.

- **Mascarilla para piel mixta:** machaque un aguacate y mézclelo con miel, aplique una capa delgada, déjela actuar por 20 minutos y retírela con agua.

- **Mascarilla para todo tipo de piel:** mezcle la misma cantidad de polvos de ginkgo biloba, crisantemo, hierba de san Juan y zaragatona, en una cucharada de agua destilada de hamamelis y aceite de prímula, aplíquela en el rostro antes del baño, espere 20 minutos y retírela durante el baño.

- **Mascarilla para una piel juvenil:** retire las semillas a los duraznos y macháquelos, aplíquela como crema facial, deje toda la noche.

- **Mascarilla piel de bebé:** frote en la piel el aceite de una cápsula de vitamina E y déjelo durante 30 minutos, después aplique una capa de clara de huevo batido encima, déjela durante otros 30 minutos y retire con agua tibia, lo que pueda y los restos sobrantes con una toalla húmeda.

- **Mascarilla pulidora:** mezcle cantidades iguales de yoghurt natural y avena, agregue unas gotas de jugo de limón, aplique sobre la piel, deje actuar durante 20 minutos, enjuague con agua tibia, seque y aplique un humectante.

- **Mascarilla pulidora 2:** mezcle cantidades iguales de yoghurt natural, zanahoria rallada y avena, aplique sobre la piel, deje actuar durante 20 minutos, enjuague con agua tibia, seque y aplique un humectante.

- **Mascarilla pulidora 3:** mezcle cantidades iguales de yoghurt natural, pepino rallado, jugo de limón y avena, aplique sobre la piel, deje actuar durante 20 minutos, enjuague con agua tibia, seque y aplique un humectante.

- **Mascarilla pulidora 4:** mezcle cantidades iguales de yoghurt natural, jitomate machacado, jugo de limón y avena, aplique sobre la piel, deje actuar durante 20 minutos, enjuague con agua tibia, seque y aplique un humectante.

- **Mascarilla pulidora 5:** mezcle cantidades iguales de yoghurt natural, perejil en puré y avena, aplique sobre la piel, deje actuar durante 20 minutos, enjuague con agua tibia, seque y aplique un humectante.

- **Mascarilla pulidora 6:** mezcle cantidades iguales de yoghurt natural, pera rallada, jugo de limón y avena, aplique sobre la piel, deje actuar durante 20 minutos, enjuague con agua tibia, seque y aplique un humectante.

- **Mascarilla pulidora 7:** mezcle cantidades iguales de yoghurt natural, papa rallada, jugo de limón y avena, aplique sobre la piel, deje actuar durante 20 minutos, enjuague con agua tibia, seque y aplique un humectante.

- **Mascarilla purificante:** disuelva cantidades iguales de polvos de pensamiento, serpol, saúco y zaragatona en agua destilada de helicristo, aplique por la noche, deje actuar durante 20 minutos y retírela con ayuda de un paño húmedo.

- **Mascarilla saludable contra el acné:** aplique finas rajas de pepino fresco durante 15 minutos, retire las rajas y enjuague con agua tibia, seque con pequeños golpecitos, repita tres veces al día. Esta receta puede variarse licuando un pepino pelado.

- **Mascarilla reductora de poros:** bata una clara de huevo con jugo de limón hasta que espese, aplique en los poros grandes, deje durante 30 minutos, retire con agua tibia.

- **Mascarilla reductora de poros 2:** lave la cara por la noche, mezcle avena, azúcar y jugo de limón, aplique en forma ascendente, enseguida lave con agua tibia, aplique cada tres días. Al finalizar aplique agua de rosas en toda la piel. Esta mascarilla también ayuda a pulir, eliminar poco a poco las cicatrices y manchas.

- **Mascarilla tonificante:** machaque cerezas y aplíquelas sobre la piel, deje 20 minutos y retire con agua tibia.

- **Mascarilla tonificante 2:** ase una penca de sábila, aplique sobre la piel limpia, deje actuar durante 20 minutos y retire con agua fría.

- **Mascarilla revitalizante:** machaque unas fresas y aplique sobre la piel antes de ir a dormir, deje durante 20 minutos y retire con agua tibia.

- **Reventador de brotes:** prepare una mezcla de raíz de altea pulverizada y agua caliente, aplique sobre el rostro, deje actuar por 20 minutos y lave la cara con infusión de consuelda.

- **Sauna contra acné agudo:** prepare un cocimiento con una gota de aceite de enebro, neroli y clavo disueltos en agua hirviendo, inclínese sobre el vapor y deje actuar por cinco minutos, aplique tres a cuatro veces por semana para limpiar la piel, enseguida es conveniente secar el exceso de humedad y aplicar una mascarilla.

- **Sauna facial:** prepare un cocimiento con 1 gota de aceite de lavanda, petitgrain y manzanilla disueltos en agua hirviendo, inclínese sobre el vapor a una distancia de 30 centímetros, cubra la cabeza con una toalla y deje actuar por cinco minutos, aplique tres a cuatro veces por semana para limpiar la piel grasa, enseguida es conveniente secar el exceso de humedad y aplicar una mascarilla.

- **Tónico antigrasa:** mezcle 6 gotas de aceite de bergamota, 4 gotas de aceite de lavanda y 50 ml. de agua de manantial, aplique en el rostro con ayuda de una algodón.

- **Tonificante para piel grasa:** prepare una infusión con 2 cdas. de milenrama, romero y cola de caballo disueltas en 2 tazas de agua, deje reposar cinco minutos, cuele y aplique sobre el rostro con ayuda de una gasa.

- **Tonificante contra el acné:** bata una clara de huevo y jugo de limón, mezclar con un poco de infusión de milenrama, aplique sobre la piel y el resto refrigérelo.

- **Ungüento maravilla:** clarifique 1 kilo de mantequilla hasta que hierva, retire del fuego y quite la espuma, repita el mismo proceso dos veces, deje enfriar y retire la fina capa que se formó, cuele a través de una malla fina y deposítelo en una botella, al día siguiente vuelva a calentar la mantequilla sin que hierva o se queme, añada tomillo fresco y picado y retire del fuego y después cuele, incluya 2 cucharadas de cera de abeja y 1/2 cucharadita de vainilla, coloque en un frasco y guarde en un lugar fresco y seco. Masajee la piel con el ungüento todos los días antes de bañarse y por la noche antes de ir a dormir para aliviar los trastornos cutáneos.

- **Vaporización contra piel grasa e impurezas:** agregue 3 gotas de aceite de manzanilla y 3 de aceite de limón a 2 litros de agua, deje hervir un poco y retire del fuego, colóquese de manera que pueda recibir el vapor en el rostro, cúbralo con una toalla, permanezca 5 minutos y enseguida enjuáguese con agua fría.

Los siguientes alimentos pueden aplicarse en forma de mascarilla después de haber limpiado la piel, se dejan aproximadamente 30 minutos y se retiran con infusión tibia de manzanilla:

- **Arroz:** en harina. Alivia las inflamaciones cutáneas como el acné.
- **Avena:** cocida en leche hasta que espese y se enfríe.
- **Cebolla:** cruda y machacada. Actúa contra la infección.
- **Papaya:** cruda y machacada. Alivia la infección.
- **Pepino:** rallado o rebanado, o remojado en ron.
- **Yema de huevo:** batida.
- **Zanahoria:** cocida en puré frío.

COMENTARIO FINAL

Cuando reflexionamos sobre diferentes etapas de nuestra vida y comenzamos a recordar lo que hemos leído a través del tiempo, caemos en la cuenta de que es mucha la información que hemos almacenado en nuestra memoria y ponemos en marcha un proceso selectivo y jerárquico de lo que sabemos; algunos nos inclinamos por distintos géneros de acuerdo con nuestras necesidades de información (independientemente de lo que profesionalmente nos convenga). Analizando este hecho he observado que muchas personas con cierta experiencia y edad acostumbran leer literatura sobre la salud, es decir, que es más común ese interés en edades maduras (que es cuando comenzamos a preocuparnos por nuestra salud) y por tanto los jóvenes no se interesan en ella, razón que hasta cierto punto tendría validez. Pero con gran sorpresa he descubierto que los jóvenes actualmente comienzan a leer más sobre salud, pues se ha desatado una euforia por estar sanos, quienes nos dedicamos a dar a conocer la salud día a día tenemos entre nuestros lectores a personas cada vez más jóvenes, créanme que es muy gratificante ver que se está concientizando sobre la importancia del cuidado que debemos tener de nuestro cuerpo, situación que va más allá de verse bien, se trata de prepararse para una vida futura, que gracias a Dios cada vez es más larga, tan sólo porque nos hemos vuelto más longevos, lo cual es una bendición, pues en épocas anteriores cuando ya se tenía la experiencia y, por qué no, la posición económica para comenzar a disfrutar la vida, ésta se terminaba, pareciendo que el ser humano solamente tenía tiempo para desarrollarse, multiplicarse y morir, sin más tiempo para un disfrute de la vida.

Ahora el promedio de vida es de más de 80 años, pero siempre debemos tener en cuenta que nuestro cuerpo va debilitándose y sus funciones de reparación van disminuyendo, haciéndolo más sensible a los cambios de temperatura por lo que debemos llevar una vida pensada precisamente para que todos esos cambios no nos afecten más de lo que deberían.

Así entonces, hay que prepararnos para comenzar a disfrutar de nuestra vida, vamos a gozarla hasta el último segundo en plena facultad para ver, oír, sentir, amar, caminar, etc., y disfrutar de la posición económica que hayamos alcanzado, que tengamos la tranquilidad para sentarnos a ver televisión o leer nuestro libros preferidos o simplemente platicar de lo que a diario vemos, pero en pleno disfrute, con total conciencia de lo que nos hemos ganado y nos merecemos. Eso es lo que siempre proponemos en cada libro que hacemos, el que cada ser humano tenga derecho a escoger su vida, porque que en la actualidad ya nadie tiene derecho a seguir utilizando la excusa: "es que yo no sabía que eso me pasaría..." o "es que no tenía la información sobre X padecimiento", ya que vivimos en una época en la que la información nos llega por diferentes vías y cada uno de nosotros debe hacer conciencia de lo que como persona vale y quiere hacer con su vida y sus metas. Considero que sobre todo debemos desear el disfrutar de esos actos que han conformado nuestra vida, equivocados o no, pero con salud para disfrutarlos.

Espero que la lectura de este libro sea una puerta abierta al tratamiento del **acné**, recuerden que la alimentación es un factor importante y lo expuesto aquí es solamente una guía para una buena evolución de la enfermedad, no olviden que la medicina ortomolecular es un tratamiento integral no sólo para el acné.

Pero lo más importante es que al tratar de manera integral al paciente, la evolución por supuesto será más adecuada y lo mejor es que el efecto será más perdurable, como lo ha leído, la utilización de los elementos variables como ácidos grasos, beta-carotenos, vitaminas y minerales brindan la oportunidad de moldear los tratamientos de manera adecuada; además, las distintas terapias complementarias como la aromaterapia, masajes, remedios florales, fitoterapia, relajación, etcétera, aportan una forma distinta de tratar enfermedades no solamente como situaciones de enfermedad sino como un conjunto, como la unidad que el cuerpo humano es; así entonces veamos al individuo desde un punto de vista absoluto sin separar la situación hormonal, circulatoria, glandular, etcétera.

Recuerde que la interacción entre órganos y sistemas nos da como resultado el funcionamiento perfecto del organismo, pues como se habrá dado cuenta éste funciona desde un punto de vista anatómico, fisiológico, psicológico y espiritual, toda esta conjunción es lo que se propone como una alternativa al tratamiento del acné.

Así que bienvenido a un nuevo libro de la colección del *Dr. Abel Cruz,* recuerde que la base más importante de esta colección es que sea práctica, para que ponga a funcionar estos libros, y así vea que lo natural supera por mucho cualquier tratamiento que exista, recuerde que cada elemento que su cuerpo posee, la naturaleza lo contiene en estado puro y que cada ser lo transforma y asimila de acuerdo con sus necesidades y padecimientos, así que úselos en su beneficio.

Gracias por leer este libro, ya que está hecho pensando solamente en el beneficio de los lectores. También quiero expresar mi agradecimiento a *Claudia Granados Alquicira,* quien con su colaboración y gentileza se ha convertido en parte importante de *Bionatura*. Gracias a quienes expresan sus dudas y al preguntar hacen posible que aparezcan nuevos títulos, y a todos mis *pacientes*. En especial agradezco a mi familia, parte importantísima de mi vida profesional, a mi *mamá* y mi *papá*, capítulo aparte a mi hermana *Rafaela* (Cocoliso) con todo cariño, quien con su alegría y buen humor han hecho de mi vida un paraíso, gracias Cocol; a la *Dra. Gregoria Cruz;* porque sus conocimientos han hecho que todo lo que hacemos funcione. *"Gracias al Señor por permitirnos vivir"*.

Bienvenidos al Mundo Naturista del Dr. Abel Cruz.

¡Cuán preciosos me son, oh Dios,
tus pensamientos!
¡Cuán grande es la suma de ellos!

Salmos 139 vrs. 17

Con infinito amor a mis hermanos.

Dr. Abel Cruz

GLOSARIO

- **Aceite esencial:** líquido volátil y aromático que suele constituir los principios olorosos de la planta, es decir es su fuerza vital.
- **Acné vulgaris:** acné común que aparece durante la adolescencia.
- **Agudo:** que tiene un curso repentino y breve.
- **Alergeno:** sustancia que causa una reacción alérgica.
- **Alergia:** respuesta anormal del cuerpo a un alimento o una sustancia extraña.
- **Andrógenos:** hormonas masculinas que cumplen funciones como la maduración física y la estimulación de la actividad de las glándulas sebáceas. Se encuentran en mayor concentración en los hombres que en las mujeres.
- **Antibiótico:** impide el crecimiento de las bacterias o las destruye.
- **Antidepresivo:** alivia la depresión.
- **Antihistamínico:** previene o trata la reacción alérgica.

- **Antiinfeccioso:** actúa para prevenir o detener la infección.
- **Ayuno:** abstención de todo o casi todo alimento durante un periodo determinado.
- **Calmante:** agente sedante.
- **Cataplasma:** empasto, aplicación terapéutica de una masa húmeda (hierbas frescas) sobre la piel para estimular la circulación local y calmar el dolor.
- **Comedogénico:** produce lesiones o comedones de acné.
- **Comedón abierto:** lesión con tapón sebáceo que se ha expuesto a la acción del aire.
- **Comedón cerrado:** lesión formada por un tapón con centro blanco, ubicado debajo de la piel.
- **Comedón:** lesión inflamatoria, formada por un tapón sebáceo en un folículo piloso.
- **Compresa:** paño humedecido en líquidos calientes o fríos para aliviar el dolor o producir una presión local.
- **Decocción:** preparación fitoterapéutica en la que el ingrediente generalmente duro o leñoso hervirá en agua y será reducida ésta hasta lograr un extracto concentrado.

- **Dermatólogo:** médico especialista en enfermedades de la piel.

- **Desintoxicante:** elimina las toxinas del cuerpo.

- **Edema:** hinchazón sin dolor producido por la retención de líquidos bajo la piel.

- **Estrógeno:** hormona producida por el ovario, necesaria para el desarrollo de las características sexuales femeninas secundarias.

- **Folículo:** cavidad pequeña de la piel a través de la cual crece un vello.

- **Fricción:** pequeños movimientos circulares a manera de masaje.

- **Glándulas sebáceas:** glándulas productoras de sebo anexadas a los folículos pilosos. Se encuentran más comúnmente en el rostro, cuello, espalda (parte superior) y pecho.

- **Hormona:** sustancia celular que produce un efecto específico sobre la actividad del organismo.

- **Infección:** multiplicación de los microorganismos productores de la enfermedad dentro del cuerpo.

- **Inflamación:** respuesta protectora del tejido ante el daño o destrucción de las células, caracterizado por calor y dolor.

- **Infusión:** inmersión y reposo de una planta medicinal en agua caliente.

- **Lesión:** anormalidad o daño corporal.

- **Linimento:** producto calorífico usado para friccionar, a menudo hecho con tinturas e infusiones de aceites medicinales.

- **Lípidos:** sustancias que incluyen grasas, aceites y ceras.

- **No comedogénico:** con pocas probabilidades de producir o agravar los comedones.

- **No inflamatorio:** que los comedones no están asociados al enrojecimiento e hinchazón.

- **P. acnes:** bacteria presente en la piel que se multiplica en el sebo de un folículo piloso y da origen a la inflamación.

- **Pápula:** protuberancia en la piel que puede ser inflamatoria o no inflamatoria.

- **Pubertad:** periodo de la vida a partir de la maduración física del niño hasta convertirse en adulto.

- **Punto negro:** es un comedón abierto, no inflamatorio con un centro negro característico.

- **Pústula:** comedón inflamatorio en cuyo interior se alberga pus.

- **Quiste:** lesión severa causada por el acné, con abultamiento grande, raíz profunda, lleno de pus y frecuentemente doloroso.

- **Sebo:** sustancia oleosa, lubricante y protectora producida por las glándulas sebáceas.

- **Té:** infusión hecha con hojas y flores de plantas.

- **Tintura:** remedio fitoterapéutico preparado sobre una base alcohólica.

- **Tisana:** tipo de infusión de plantas medicinales.

- **Tópico:** aplicación local de una crema, pomada, tintura u otra medicina.

- **Toxina:** sustancia venenosa y dañina para el cuerpo.

DOBLAR Y PEGAR

SU OPINIÓN CUENTA

Nombre...

Dirección...

Calle y núm. exterior..............................**interior**.................

Colonia....................................**Delegación**....................

C.P.................**Ciudad/Municipio**..

Estado..**País**..............................

Ocupación...**Edad**....................

Lugar de compra...

Temas de interés:

- *Empresa*
- *Superación profesional*
- *Motivación*
- *Superación personal*
- *New Age*
- *Esoterismo*
- *Salud*
- *Belleza*
- *Psicología*
- *Psicología infantil*
- *Pareja*
- *Cocina*
- *Literatura infantil*
- *Literaura juvenil*
- *Cuento*
- *Novela*
- *Cuentos de autores extranjeros*
- *Novelas de autores extranjeros*
- *Juegos*
- *Acertijos*
- *Manualidades*
- *Humorismo*
- *Frases célebres*
- *Otros*

¿Cómo se enteró de la existencia del libro?

- *Punto de venta*
- *Recomendación*
- *Periódico*
- *Revista*
- *Radio*
- *Televisión*

Otros...

Sugerencias______________________________________

____

____

Acné

RESPUESTAS A PROMOCIONES COMERCIALES
(ADMINISTRACIÓN)
SOLAMENTE SERVICIO NACIONAL

CORRESPONDENCIA
RP09-0323
AUTORIZADO POR SEPOMEX

EL PORTE SERÁ PAGADO POR:

Selector S.A. de C.V.

Administración de correos No. 7
Código Postal 06720, México D.F.

Acné
Tipografía: *Silvia Vidal*
Negativos de portada e interiores: *Fotolito Daceos*
Impresión de portada: *QGraphics S.A. de C.V.*
Esta edición se imprimió en marzo de 2002,
en UV Print Sur 26 A No. 14 BIS México, D.F. 08500